LA HISTORIA INVISIBLE

ALAN MACFARLANE
Y GERRY MARTIN

La historia invisible

El vidrio: el material que cambió el mundo

Traducción de Mayra Paterson Hernández

OCEANO

Para Sarah e Hilda.

Prólogo

Este libro trata sobre los cambios, especialmente sobre cómo la presencia del vidrio y el modo como el hombre lo ha utilizado han acelerado en gran medida esos cambios (y en qué medida, al contrario, la ausencia de vidrio ha contribuido a ralentizarlos). Al estudiar el pasado, el hombre tiene tendencia a intentar identificar a las personas que hicieron historia para convertirlas en héroes, o cuando menos en figuras fundamentales que permiten explicar cómo sucedieron los acontecimientos. Esta tendencia resulta especialmente tentadora para quienes intentan entender los descubrimientos y las innovaciones, pero distorsiona la historia, ya que los cambios surgen al confluir actividades desarrolladas por decenas, centenares o incluso miles de personas. Sin embargo, a menudo asignamos a inventos o innovaciones concretos el nombre de una persona para no andarnos con rodeos o porque nos resulta más práctico. Así debe interpretarse la mención de personas con sus nombres y apellidos también en este libro.

Lo mismo puede decirse del contenido de sus páginas. Aunque lo hemos escrito y firmado dos autores, es imposible dilucidar las diversas aportaciones. Nosotros sólo formamos parte de una red mucho más extensa de amigos, autoridades y contactos que han contribuido a que este libro salga a la luz. Citaremos ahora a aquellos cuya influencia ha sido más directa y evidente. Tanto los profesores Chris Bayly, Mark Elvin y Caroline Humphrey como los doctores Su Dalgleish, Simon Schaffer y David Sneath nos hicieron sugerencias muy valiosas. Kim Prendergast llevó a cabo el estudio sobre las clases y los maestros de escuela en Corea del Sur, y nos facilitó y organizó la visita a una escuela. El profesor Tokoro, David Dugan y Carlo Massarrella nos ayudaron concretamente con el tema de la miopía en Japón; los dos últimos nos ayudaron también a desarrollar nuestras ideas generales sobre el vidrio. Nuestro agradecimiento asimismo para Stephen Pollock-Hill de Nazeing Glass.

John Davey, Sally Dugan, Iris Macfarlane y Andrew Morgan se leyeron todo el libro con dedicación y nos aportaron sus comentarios. John Davey asumió además la función de editor. Mark Turin se encargó amablemente de corregir las pruebas.

A Sarah Harrison se le ocurrió la idea de que nos centráramos sólo en el vidrio. También nos convenció de que dejáramos toda la parafernalia y las citas académicas para otro lugar (www.alanmacfarlane.com/glass). Se leyó el texto y nos hizo numerosas y valiosas observaciones. A ella, y a Hilda Martin, que también ha ayudado en muchos ámbitos, dedicamos este libro en agradecimiento por su apoyo en esta búsqueda sin fin.

I

El vidrio invisible

¡Suponer antes de demostrar! ¿Tengo que
recordarles que es siempre así como se llevan
a cabo los descubrimientos importantes?

Henri Poincaré

La mayoría de nosotros apenas piensa nunca en el vidrio, pero ima-
gínese que un día despierta en un mundo en el que se han deshe-
cho de este material o en el que ni siquiera llegó a inventarse. Todos los utensilios de vidrio han desaparecido, incluidos los que ahora
se fabrican con materiales similares, como el plástico, que no se habría inventado sin el vidrio. Todos los objetos, las tecnologías y las
ideas que le deben su existencia han quedado borrados del mapa.

Alargamos la mano para apagar el despertador, pero no está ahí:
los relojes pequeños, de pulsera o de sobremesa, necesitan una esfera o pantalla de vidrio que los proteja. Buscamos a tientas el in-
terruptor de la luz. Tampoco está, pues sin vidrio no se pueden fabricar bombillas. Al descorrer las cortinas, una corriente de aire nos
golpea en la cara. Si somos miopes, resulta que no vemos nada a más
de dos palmos de distancia. Si sufrimos de vista cansada, bastante
habitual si hemos cumplido los cincuenta años, nos será imposible
leer. No podemos recurrir a lentillas ni a gafas.

En el cuarto de baño no hay espejo donde vernos con claridad
mientras nos afeitamos; tampoco bote alguno en el botiquín ni vaso
en el que dejar el cepillo de dientes. En la sala de estar falta el televisor, porque sin pantalla no hay aparato. Al asomarnos por la ventana, no vemos coches, autobuses, trenes ni aviones, ya que sin pa-

rabrisas no pueden funcionar (y casi seguro que no se habrían ni inventado). En las tiendas los escaparates brillan por su ausencia, y en los jardines, nada de invernáculos. Cuando cae la noche, en las calles parpadean los candiles, y como la calefacción central debe su existencia más a los romanos que a los victorianos, nos quedamos tiritando a oscuras.

Éstos son sólo algunos ejemplos de cómo serían probablemente las cosas si el vidrio desapareciera de nuestras vidas. Resulta aún más sorprendente cómo esa ausencia afectaría a todo lo demás. Podríamos dar casi por seguro que no habría electricidad, ya que al principio se generaba con turbinas de gas o vapor, para cuya construcción se requiere vidrio. Adiós, por tanto, a las radios, los ordenadores y el correo electrónico. Es muy probable que tampoco dispusiéramos de agua corriente. Sería imposible cocinar con electricidad y no existirían neveras ni congeladores. Apenas se utilizaría energía no humana en la poca producción industrial que pudiera haberse desarrollado. Y nuestros campos producirían menos de un veinte por ciento de lo que producen hoy sin los fertilizantes que los químicos descubrieron en sus pipetas de vidrio.

En los hospitales la medicina mataría a más gente de la que curaría. No sabríamos nada sobre bacterias y virus, no existirían los antibióticos ni se habría producido la revolución de la biología molecular con el descubrimiento del ADN. Como apenas podríamos controlar las enfermedades epidémicas y endémicas, estarían tan extendidas como a finales del siglo XVIII.

Nuestros conocimientos y nuestro dominio del espacio serían muy limitados. Quizá no habríamos sido capaces ni de demostrar que la tierra gira alrededor del sol. Nuestra astronomía sería primitiva y las predicciones meteorológicas se lanzarían al azar. Para las largas travesías por mar careceríamos de instrumentos para medir con precisión la longitud y la latitud, y huelga decir que si nos perdiéramos, no podríamos pedir ayuda por radar ni recurrir a las comunicaciones por radio, por no hablar ya del teléfono o el telégrafo.

El mundo artístico y estético sería también completamente distinto. No sólo no habría fotografías, películas ni televisión, sino que incluso nuestras ideas del espacio, de la perspectiva y de la realidad serían radicalmente diferentes. No habríamos aprendido a representar el espacio tridimensional en el Renacimiento, y nuestros sistemas de representación no se alejarían demasiado de los que imperaban en el siglo XII.

Este libro muestra lo esencial que es el vidrio en todos los aspectos de nuestra vida. Es cierto que hay otros materiales, como la madera, el bambú, la piedra y la arcilla, aptos para el almacenaje o para la construcción de un lugar en el que cobijarnos. Lo que distingue al vidrio es que combina estos y muchos otros usos con la capacidad de desarrollar el más potente de nuestros sentidos, la vista, y también nuestro órgano más formidable, el cerebro.

Los espejos y las lentes de vidrio han cambiado nuestra percepción de nosotros mismos y del mundo. Los telescopios, los microscopios y las gafas nos permiten ver lo distante y lo cercano de formas que el ojo humano no podría ver por sí mismo. Con los barómetros, los termómetros, los termos, las retortas y toda una plétora de instrumentos, el vidrio nos permite aislar sustancias químicas y comprobar o descartar hipótesis sobre sus propiedades e interacciones. Gracias al vidrio podemos captar con precisión imágenes de la naturaleza, almacenarlas y transmitirlas a largas distancias sin que se distorsionen. El vidrio, en pocas palabras, influye en todos los ámbitos de nuestra vida.

Desde mediados del siglo XX se vienen desarrollando alternativas al vidrio, por lo que ahora no nos parece tan irremplazable. A nadie se le ocurrirá sustituir las vidrieras de la catedral de Chartres o de la capilla del King's College de Cambridge por pérspex de color ni envasar los buenos vinos en botellas de plástico, pero el vidrio está perdiendo cada vez más terreno frente a otros materiales transparentes. Puede incluso que llegue un día en que el mundo no se viniera abajo si de repente desapareciera el vidrio, como sin duda sucedería ahora, pero esto no resta importancia a la influencia que este material ha tenido en la mejora de nuestro bienestar y en la ampliación de nuestros conocimientos a lo largo del milenio en que se desarrollaron las civilizaciones modernas.

Vivimos en una civilización rodeada de vidrio. Sin embargo, como el pájaro del proverbio chino al que tanto le costaba descubrir el aire, somos casi incapaces de verlo. Por utilizar una metáfora derivada del vidrio, tal vez deberíamos reenfocar, dejar de mirar a través del espejo y fijar la mirada en él durante unos instantes para contemplar su magia: veríamos las cosas de manera muy distinta.

Cuando por fin reparamos en el vidrio, nos cuesta clasificarlo, pues tiende a diluirse en varias categorías. En su carácter inclasificable reside parte de su fuerza y de su atractivo. El vidrio es raro. Según los químicos, desafía las clasificaciones. No es exactamente un sólido, pero tampoco un líquido, y se suele describir como un «cuarto estado de la materia». Durante mucho tiempo desconcertó a los científicos, incapaces de detectar en él estructura cristalina alguna. Es quebradizo, uno de sus puntos débiles, pero a la vez enormemente duradero y flexible, y en manos de un artesano entendido y experto es maleable casi hasta el infinito.

Sobre él escribieron Raymond McGrath y A.C. Frost en 1961:

Puede adoptar cualquier color, y aunque no posee textura en el sentido literal de la palabra, su superficie admite cualquier tratamiento. En la respuesta a la luz y la sombra no tiene rival que se precie. Puede tener un acabado fino y delicado, es limpio, duradero y compacto, y puede hacerse pasar casi imperceptiblemente de la transparencia a la translucidez o a la opacidad, o regularse para que refleje toda la luz, para que la difunda o para que la superficie sea totalmente mate. Apenas hay tipo de superficie que no sea capaz de adoptar. A pesar de ello, posee una naturaleza muy característica, y, tratemos su estructura o su superficie como la tratemos, conservará siempre su inconfundible «vidriosidad». Sea grabado en hueco o en relieve, pintado, mateado al chorro de arena, espejado, estampado con cualquier motivo de nuestra elección, moldeado, soplado, chapado o presentado en cualquier otra forma —apenas existe proceso, modificación o combinación de tratamientos que no aguante—, sus propiedades vítreas son su *raison d'être* decorativa.

En un principio a la gente no le interesaba tanto su utilidad, que se puso de manifiesto más tarde, como su belleza. Se creó para satisfacer nuestro deseo de placer estético; después se empleó como artilugio mágico, y más tarde, por una de esas maravillosas casualidades de la historia, sus propiedades refractantes lo convirtieron en la más importante vía de acceso a la verdad sobre el mundo natural: un buen ejemplo de lo que John Keats afirmaba en su célebre verso «la belleza es verdad, y la verdad, belleza». La impresionante naturaleza del vidrio queda reflejada en los escritos de hace casi sesenta años de uno de sus más memorables historiadores, W.B. Honey:

El vidrio se ha vuelto tan familiar, que ya no despierta la admiración que merece. Prodigioso en sí mismo por no proceder más que de la simple combinación de arena y cenizas, más milagroso debiera parecernos que se convierta en las piezas de una cristalería. Su belleza nunca parece producto de un cálculo. Se puede moldear para darle la forma deseada, elegir un color y obtenerlo con un porcentaje de óxidos, y aun así hay algo en el vidrio que desafía toda predicción; el juego de luces y colores que despliega, su aire insustancial y el «dibujo de un gesto», al que con tanta frecuencia recuerda su forma, son tal vez los únicos elementos esenciales de la belleza que puede asumir a voluntad del artista.

Sorprendentemente, la historia del vidrio en cuanto tecnología del pensamiento ha suscitado escaso interés en el mundo académico. En general se da por supuesto que su desarrollo fue más o menos similar en todo el planeta. Si nos ponemos a pensar en el vidrio, la mayoría damos por sentado que, como se inventó hace varios miles de años, su fabricación se debió de extender por Europa y Asia. Luego se debió de emplear en todas partes más o menos de la misma manera y con los mismos fines, y así ha debido de seguir siendo hasta ahora. Quizá nos suene vagamente que alcanzó su esplendor en Venecia durante el Renacimiento, pero por lo demás nos parece simplemente un material muy útil y fácil de obtener.

Este libro se propone, entre otras cosas, romper con estas ideas preconcebidas y este saber heredado. Queremos compartir nuestra sorpresa cuando descubrimos, por ejemplo, que en la mayoría de civilizaciones casi no hubo vidrio, y que en las que sí lo tuvieron su utilización ha variado enormemente. También nos asombró descubrir que no siempre que se inventa el vidrio se utiliza, o que algunas civilizaciones lo descartaron tras haberlo utilizado. También esperamos revivir la sorprendente naturaleza del vidrio con la vivacidad con que la expresó Samuel Johnson en 1750:

¿Quién, al ver por primera vez la arena y las cenizas derretirse por un intenso calor fortuito en una forma metalina, llena de excrecencias e impurezas, áspera y turbia, hubiera podido imaginar que en aquella masa amorfa se ocultaban algunas de las mejoras para la vida que con el tiempo tanto contribuyeron a construir un mundo más feliz? Y sin embargo, esa licuefacción accidental enseñó a la humanidad a producir un cuerpo muy sólido y transparente que dejaba pasar la luz del sol e impedía el paso a la violencia del viento; que ampliaba la mirada del filósofo sobre otras formas de existencia, y que un día lo fascinaba con las ilimitadas posibilidades de crear nuevos materiales, y otro con la infinita subordinación de la vida animal; y, lo que es más importante, que suplía el deterioro de la edad y socorría a los mayores con una segunda vista. A esto se dedicó el primer artesano del vidrio sin saberlo ni sospecharlo. Estaba facilitando y prolongando el disfrute de la luz, ensanchando los caminos de la ciencia y haciendo posibles los más elevados y duraderos placeres; estaba permitiendo que el estudiante contemplara la naturaleza, y que la belleza se admirara a sí misma.

Hemos viajado a través del tiempo y el espacio siguiendo la mirada del doctor Johnson. Hemos retrocedido diez mil años y no hemos dejado un rincón del planeta sin explorar. El viaje no siempre ha sido fácil. Para entender la enigmática historia del vidrio es preciso conocer los entresijos y los métodos de muchas artes y ciencias. Como los filósofos ciegos que sólo tocaron una parte del elefante, cada una de esas artes y ciencias se quedó sólo con una parte de la historia y no la imaginó en su totalidad.

La ausencia de visión global se ve claramente en cómo se trata el vidrio en los museos que visitamos mientras nos documentábamos para este libro. El Museo Victoria and Albert de Londres y el Museo Fitzwilliam de Cambridge exponen elegantes copas y espejos. En el Museo Nacional de la Ciencia de Londres pueden verse lentes y prismas, y en el Museo Británico, objetos arqueológicos y artísticos. Reunimos estas colecciones en el museo virtual de nuestra memoria y empezamos a recomponer la deslavazada historia de este extraordinario material. Pero ningún museo se había ocupado de las ventanas. La capilla del King's College, a pocos metros de donde nos reuníamos para escribir, con su vidriera medieval, se encargó de recordarnos una de las funciones primordiales que desempeñó el vidrio a lo largo de la historia.

Hallamos los fragmentos de esta evolución desperdigados en la obra de historiadores del arte, de la tecnología y de la ciencia, en la obra de antropólogos, biólogos, químicos y oftalmólogos. Cualquiera que quiera hablar del vidrio se ve obligado a asomarse a numerosas disciplinas y a desoír la sensata advertencia de que más vale ceñirse al campo que uno domina. Así pues, hemos tenido que recurrir a expertos en otros campos, algunas de cuyas obras se recogen en la sección de lecturas complementarias que hemos incluido al final del libro. La complejidad del vidrio y el escaso interés que ha suscitado su influencia hacen difícil demostrar sus efectos. Podemos intuir, por ejemplo, que el espejo transformó nuestra percepción del individuo, o que las lentes cambiaron la óptica e influyeron decisivamente en el Renacimiento. Sin embargo, es difícil demostrar rotundamente estas relaciones de causalidad. Nosotros sugerimos relaciones con la esperanza de que resulten plausibles y satisfactorias. La gente se vuelve cautelosa cuando abundan las conjeturas. Debemos advertir que este libro contiene bastantes. Ahora bien, no nos hemos ocultado al aventurarlas. También hay que decir que a veces los descubrimientos se producen porque una aproximación inicial empieza a parecer tan plausible, que alguien decide estudiarla en detalle. Esperamos que nuestra explicación anime a otros a investigar si nuestros argumentos y conclusiones son acertados o errados.

En los últimos mil años se ha producido en el mundo un fenómeno extraordinario. La población humana ha crecido a pasos agigantados, pero aun así, gracias a la evolución de la agricultura, dispone de mucha más comida para alimentarse que antes. Los recursos energéticos se han multiplicado enormemente. La esperanza de vida ha aumentado en general a medida que mejora nuestra comprensión de las enfermedades. Estos cambios forman parte, junto con muchos otros, del aumento que ha experimentado nuestro conocimiento; un aumento, en nuestra opinión, que no habría sido posible sin el vidrio. Al explicar parte de su fascinante historia, esperamos también arrojar algo de luz sobre cómo ha llegado el mundo a ser como es y sobre cómo hemos llegado los hombres a ser como somos.

2

El vidrio en Occidente:
de Mesopotamia a Venecia

Salve Luz sagrada, Primogénita del Cielo.
¿O del Eterno coeterno rayo puedo,
sin ofensa, titularte? Ya que Dios es luz
y nunca más que en luz inalcanzada,
ha morado desde la Eternidad, moró en ti pues
fúlgida efluxión de fúlgida esencia increada.

John Milton, *El paraíso perdido*, III, 1-6

Nadie sabe con certeza dónde, cuándo y cómo se originó el vidrio, pero para los fines de este libro importa poco. El dónde puede responderse en términos generales sugiriendo que se originó en Oriente Próximo, quizá en más de un sitio, como Egipto y Mesopotamia. Sobre el cuándo, hay quienes sitúan el origen del vidrio entre los años 3000 y 2000 a.C., mientras que otros sostienen que hay indicios de que la cerámica se vidriaba ya hacia el 8000 a.C. Y en cuanto al cómo, todo son suposiciones y lo único que podemos decir es que se descubrió por accidente.

Al principio el vidrio no era transparente. Lo comprobamos en cuanto aumenta la cantidad de objetos de vidrio recuperados, hacia el año 1500 a.C. En esa época se desarrolló la técnica de modelado sobre núcleo. Se utilizaban principalmente dos técnicas, una de las cuales consistía en lo siguiente: se cubría una varilla con arcilla, se sumergía en un crisol lleno de una pasta de vidrio muy caliente y se retiraba recubierta de vidrio. El vidrio se pulía con pizarra, dejando que cubriera tan sólo un extremo de la arcilla. Una vez que se había enfriado, se retiraba la varilla y se rascaba la arcilla para eliminarla. El resultado era un tubo hueco de vidrio que se labraba con cualquier motivo con el que se quisiera decorar. Esta técnica de elaboración de vidrio se extendió por toda la costa oriental del Mediterráneo, y a través de los mercaderes fenicios llegó hasta las islas griegas y el norte de África. La nueva sustancia podía sustituir otras, como la arcilla, o utilizarse como imitación de piedras preciosas. No era transparente. En esta fase se utilizaba con tres finalidades: para vidriar la cerámica, en joyería y en la fabricación de recipientes pequeños, destinados principalmente a líquidos.

En algún momento entre el 1500 a.C. y el nacimiento de Jesucristo, quizá alrededor del 500 a.C., las técnicas de elaboración de vidrio atravesaron el continente hasta llegar a Asia oriental, donde llegaron a conocimiento de los chinos. Hacia el año 100 a.C. gran parte de la región euroasiática conocía las técnicas básicas para elaborar vidrio con y sin color. Las aplicaciones seguían siendo prácticamente las mismas: el vidriado de cerámica, la joyería y la fabricación de recipientes.

El soplado de vidrio, que introdujo infinitas posibilidades, se desarrolló en algún momento del siglo I a.C. En algún lugar de Siria o Irak alguien se inventó esta técnica revolucionaria que permitía fabricar objetos de vidrio. Hasta entonces los objetos se fabricaban vaciando y puliendo el vidrio. Luego llegó el invento del soplado. Se utilizaba un largo tubo de hierro de al menos un metro de longitud, que se sumergía en vidrio fundido para atrapar un trozo de pasta. El artesano soplaba entonces para convertir el vidrio en una burbuja. Se tiende a pensar que todo ocurrió de manera natural, pero para llegar a este punto se requería un profundo conocimiento de las propiedades del vidrio y de la posibilidad de malearlo de esta forma. Desde el punto de vista técnico exigía calentar el vidrio a temperaturas superiores a las requeridas para el moldeado y el colado. La pasta tenía que estar muy líquida. Para ello había que conocer muy bien cómo funcionaban los hornos, conocimiento que se había desarrollado en Oriente Próximo con la manufactura del vidrio. Con la introducción del soplado podían fabricarse vidrios muy finos y transparentes. La nueva técnica aumentaba enormemente la versatilidad del vidrio y sobre todo abría las puertas a nuevas aplicaciones.

La gran divergencia en el uso que se hacía del vidrio en Oriente y Occidente se remonta a hace poco más de dos mil años. Para determinar las causas y las consecuencias de este fenómeno debemos examinar cada civilización por separado. Lo haremos en función de cinco grandes aplicaciones del vidrio. Las tres primeras son la bisutería o joyería, que incluiría la creación de cuentas de collar, juguetes y joyas; la cristalería, en la que entrarían vasos y vasijas, botellas y cualquier otro recipiente; y la vidriería de ventanas y vitrales, que se explica por sí misma. Son lo que en francés denominaríamos *verroterie*, *verrerie* y *vitrail* o *vitrage*, respectivamente. A estas tres hay que añadir dos más: por un lado los espejos, y por otro las lentes y los prismas, con los que se hacen, por ejemplo, las gafas.

Los romanos desempeñaron un papel fundamental en la historia del vidrio. No sólo desarrollaron las técnicas, sino que intuyeron la importancia del vidrio como material en sí mismo. La factura técnica de los romanos no tuvo rival en muchos aspectos hasta el siglo XIX. No obstante, fue el revolucionario cambio de actitud lo que marcó la peculiar evolución del vidrio en Occidente. La actitud hacia el vidrio hizo que su historia siguiera caminos diferentes en Europa y en Asia.

Las posibilidades de innovación coincidieron con la época de máximo apogeo de la civilización romana, que convirtió el vidrio en el principal elemento decorativo de los interiores. La invención del soplado permitió fabricar vasijas de vidrio a bajo coste y en grandes cantidades. El vidrio era una sustancia tan versátil, tan limpia y tan bella, que las piezas más delicadas se encarecieron y se convirtieron en símbolos de riqueza. Gozó de tanta aceptación, que empezó a relegar a su principal competidor: la cerámica. El vidrio se utilizaba principalmente para fabricar recipientes de todo tipo:

platos, botellas, jarras, tazas, bandejas, cucharas, incluso lámparas y tinteros. También se empleaba para pavimentar, para recubrir paredes, para reforzar los marcos de los semilleros e incluso en las tuberías. No exageramos si decimos que en aquella época se daban al vidrio más aplicaciones de las que tendría en ningún otro momento de la historia, incluido el presente. Sobre todo se valoraba por su capacidad para realzar el atractivo de la bebida preferida por los romanos: el vino.

Para apreciar el color del vino era preciso que el vidrio permitiera verlo. Un gran avance, con enormes implicaciones de cara al futuro, fue darse cuenta de que el vidrio transparente era a la vez útil y bello. En todas las civilizaciones que precedieron a los romanos, y en todas las civilizaciones que lo utilizaron fuera de Occidente, el vidrio se valoraba por sus colores y su opacidad, y en particular como imitación de piedras preciosas. El perfeccionamiento de las técnicas para fabricar vidrio transparente trajo consigo a largo plazo el descubrimiento del vidrio como instrumento de pensamiento a través de los espejos, las lentes y las gafas.

A la hora de cortar, grabar, pintar el vidrio y decorarlo con motivos dorados, los romanos estaban muy avanzados. Conocían todos los trucos del soplado, y sus piezas más delicadas a menudo no tenían nada que envidiar a las que se llegarían a producir muchos siglos después.

Gracias a la habilidad técnica de los artesanos romanos, que les permitía dar forma a gran diversidad de objetos y producirlos en gran cantidad, podemos decir hoy que la civilización romana estaba más impregnada de vidrio de lo que cualquier otra cultura ha estado hasta hace bien poco. El bajo precio del material lo hizo posible, ya que permitía que llegara a todos los rincones del grandioso imperio. Los vertederos y muladares revelan que los utensilios de vidrio se descartaban al más mínimo deterioro, pues era más fácil y barato comprar uno nuevo que reparar el viejo.

De las cinco principales aplicaciones del vidrio que hemos sugerido, los romanos impulsaron sobre todo dos: la bisutería y joyería (*verroterie*) y la cristalería de vasijas y otros recipientes domésticos (*verrerie*). Las otras tres aplicaciones, que recibirían gran impulso en la Europa medieval, se conocían y eran perfectamente viables en tiempos romanos, pero apenas se difundieron: las ventanas (*vitrail*), los espejos y las lentes.

No cabe la menor duda de que los romanos sabían construir buenas ventanas de vidrio, y de vez en cuando lo hicieron. Fabricaban las ventanas en moldes y podían llegar a obtener piezas de tamaño considerable. Se han encontrado restos que lo demuestran en la ciudad romana de Pompeya y en casas romanas de Italia y de otras zonas. Con todo, la mayoría de expertos se sorprende de la lentitud con la que evolucionó la fabricación de ventanas en Italia, lo que se suele atribuir al cálido clima mediterráneo y a la utilización de mica, alabastro y conchas como alternativas más económicas. Acaso los grandes plafones de vidrio eran muy toscos y las imperfecciones disuadían a quienes se los podían permitir de que fueran realmente necesarios para embellecer sus casas. Cualquiera que fuera el motivo, las ventanas no recibieron mucha atención en el sur. A medida que subimos hacia el norte de Europa, se han hallado más restos de ventanas de vidrio, lo que sugiere que el argumento climático era acertado. En Gran Bretaña el uso de ventanas pasó a ser bastante habitual tras la invasión romana, e incluso se extendió más allá de las fronteras del imperio romano, al sur de Escocia. Tras la caída de Roma este tipo de vidriería se desarrolló y cobró impulso en el norte de Europa.

Los romanos sabían hacer espejos de vidrio, pero preferían los de metal. Los arqueólogos han encontrado pocas muestras de los primeros. El vidrio solía recubrirse con hojalata y más raramente con plata. Se empleaba sobre todo para los espejos de mano, aunque también se han hallado espejos grandes en los que la persona podía verse de cuerpo entero.

También es probable que se conociera la utilidad del vidrio para aumentar la percepción de los objetos. Puede que utilizaran pequeñas bolas de vidrio rellenas de agua para trabajos delicados, como grabar piedras preciosas, por ejemplo, pero no desarrollaron lentes, prismas ni gafas. No parece que se diera paso significativo alguno en la utilización del vidrio como instrumento para ahondar en el conocimiento, ni en el campo de la óptica ni en el de la química. Los romanos habían sentado los cimientos de un mundo presidido por el vidrio, pero no llegaron a intuir las consecuencias filosóficas que tendría esta extraña sustancia.

La dificultad para entender la influencia del vidrio se debe en parte a una idea muy extendida, pero errónea. La mayoría de nosotros pensamos que, por maravilloso que fuera el vidrio romano, en Occidente estos adelantos se perdieron en mayor o menor medida tras el hundimiento del imperio romano. Esta idea no acaba de tener sentido: a los artesanos los habrían asesinado o se habrían dispersado, y el mercado del vidrio habría desaparecido. Sin embargo, durante mucho tiempo la arqueología pareció confirmarlo. Se encontraban muchos menos objetos de vidrio posteriores al año 400 d.C. y su calidad era inferior. Además, la evidente escasez de vidrio parecía afectar a toda Europa hasta 1400, como si la destrucción de Roma hubiera dejado un vacío de casi mil años. Hasta los expertos creyeron que así había sido hasta hace un par de décadas.

Partiendo de este supuesto, resulta muy difícil creer que el vidrio se convirtiera en un elemento tan diferenciador. ¿Cómo podía Europa occidental, que se había quedado prácticamente sin vidrio durante un milenio, superar tanto a otras civilizaciones en este aspecto? Además, si en el año 1100 había muy poco vidrio en Europa occidental, lo lógico sería pensar que deberían haber pasado varios siglos hasta recuperarlo, de modo que su influencia no se habría dejado notar hasta el siglo XVI aproximadamente. Es preciso revisar totalmente estos postulados. Así podríamos establecer nuevas relaciones que ayudarán a explicar qué pasó, pues está demostrado que, aunque se redujo la manufactura, gran parte del legado romano se mantuvo y en muchos aspectos se mejoró antes incluso del año 1200.

La arqueología puede inducir a error. No cabe duda de que los objetos de vidrio hallados en los yacimientos caen en picado a partir del siglo V tanto en calidad como en cantidad, y de que la cantidad apenas aumenta siquiera con la recuperación económica de Europa en el siglo VIII. Sin embargo, puede que estos hallazgos no sean lo que parecen y que obedezcan a otros tres factores. Primero, la propagación de la cristiandad hizo que cada vez se depositaran menos objetos en las tumbas, entre ellos los de vidrio, y era en las tumbas donde se habían encontrado más objetos de vidrio romanos. Segundo, sabemos que el vidrio roto se reciclaba. Tercero, a partir de los siglos IX y X gran parte del vidrio europeo empezó a fabricarse con la potasa obtenida de las cenizas de plantas boscosas, como helechos o hayas, en vez de con las cenizas de plantas marinas. Por lo tanto es probable que el vidrio de esa época se deteriorara más que el romano, sobre todo si quedaba enterrado en suelos ácidos.

Por último podemos afirmar que si se creía que el vidrio había desaparecido, era porque los que participaron en las excavaciones no siempre vieron que había vidrio. A esto se suma que hasta hace muy poco apenas había trabajos arqueológicos serios sobre la temprana Edad Media en Europa. Ahora la situación ha cambiado y la disciplina relativamente joven de la arqueología medieval ha descubierto la riqueza del vidrio de este periodo. Las excavaciones han transformado nuestra concepción de la historia del vidrio y han demostrado, como podríamos haber supuesto observando las coloridas vidrieras de las iglesias medievales, que estaba muy extendido y que lo fabricaban artesanos con gran habilidad técnica que sabían lo que hacían.

¿Cómo se ve ahora el periodo comprendido entre los años 500 y 1200? Para empezar se acepta parte de la explicación anterior, una media verdad que no debería descartarse del todo. El desmoronamiento del imperio romano hizo, efectivamente, que durante un tiempo, sobre todo de los Alpes hacia el norte, se perdieran habilidades técnicas y se redujera la producción. Sin embargo, en vez de una ruptura total, parece que se produjo una mezcla de declive y continuidad. Disminuyeron la calidad y la cantidad, pero no se perdieron ni las técnicas de fabricación ni la alta consideración en que se tenía el material.

Una de las razones que nos despistaron fue el hecho de que en buena medida la producción se mantuvo en los márgenes del imperio romano. Los centros de producción vidriera se desplazaron a Alemania, el norte de Francia e Inglaterra. La pasión de los romanos por el vidrio se había extendido hasta Afganistán y el Sáhara central, Escocia y Escandinavia. Cuando los bárbaros invadieron el imperio romano, el vidrio ya se había convertido en parte esencial de sus vidas, y mantuvieron la tradición. Las investigaciones recientes sugieren, por lo tanto, que la caída de Roma influyó mucho menos en los fabricantes de vidrio al norte de los Alpes de lo que se pensó en su día.

Los romanos habían aprendido las técnicas de los precursores del vidrio del Mediterráneo oriental, pero luego les devolvieron el favor mejorándolas en esos mismos territorios. Las técnicas de elaboración del norte de Europa se beneficiaron de la influencia oriental antes incluso de que cayera Roma, y siguieron haciéndolo una vez desaparecido el imperio. En Siria, Egipto y el imperio bizantino se conservó un acervo de técnicas y conocimientos cuya influencia resultó claramente decisiva en los vidrieros del norte. Vidrieros del Mediterráneo oriental emigraron por toda Europa y mejoraron las técnicas en los lugares donde se establecieron, en particular en el noroeste de Francia.

Así pues, la caída de Roma no comportó ni mucho menos el estancamiento de la situación. Las técnicas romanas se conservaron en gran parte, pero con el paso de los siglos en el norte fueron evolucionando. Aparecieron, por ejemplo, nuevos estilos de cristalería, principalmente de vasos, conocidos como estilos francos, merovingios o teutónicos. Conviene mencionar tres influencias de especial importancia que llevaron la excelencia romana por nuevos caminos y a la vez contribuyeron a conservar la gran tradición.

Una de ellas es la cristiandad y la introducción de las vidrieras, especialmente en las iglesias, con el consiguiente avance en la fabricación de vidrio pintado y coloreado. Existen referencias a vidrieras de este tipo que datan del siglo V en Francia, concretamente en Tours, y de algo después en el noreste de Inglaterra, en Sunderland, seguidas de otras posteriores en Monkwearmouth, y más al norte, en Jarrow, que se remontan al periodo comprendido entre los años 682 y 870. Al final del primer milenio el vidrio pintado se menciona con bastante frecuencia en los escritos sobre templos e iglesias; por ejemplo, en los documentos sobre el primer monasterio benedictino de Monte Casino, de 1066. La orden benedictina fue decisiva en la difusión del vidrio pintado. Vio la producción de vidrio en los monasterios como instrumento para glorificar a Dios, e invirtieron en ella enorme esfuerzo y gran cantidad de dinero. En muchos sentidos los benedictinos se erigieron en transmisores del enorme legado de los romanos. Su especial interés por las vidrieras y las ventanas fue una de las principales fuerzas impulsoras del extraordinario auge que experimentó la fabricación del vidrio a partir del siglo XII.

Aparte de introducirse las ventanas, hasta el año 1100 las dos principales aplicaciones del vidrio habían sido la *verroterie* (bisutería, juguetes y joyas) y la *verrerie* (vasijas). Entre 1100 y 1700 estas dos aplicaciones iniciales siguieron desarrollándose, sobre todo la fabricación de vasos y copas que mejoraban de calidad. Las ventanas, de vidrio coloreado en edificios religiosos y de vidrio transparente en las viviendas corrientes, se volvieron cada día más habituales. Al mismo tiempo se mejoró la calidad de los espejos, cada vez más grandes y convertidos en un artículo de lujo para la casa. Una nueva aplicación fueron las lentes, los prismas y las gafas, es decir, se empezó a utilizar con fines ópticos. Las ventanas, los espejos y el vidrio óptico cambiarían los fundamentos del conocimiento en Europa. Ninguno de ellos se fabricaba por aquel entonces en otro lugar.

Parece probable que la tradición de fabricar vidrio nunca llegara a extinguirse del todo en Italia tras la caída de Roma, sobre todo al norte del Adriático, en los alrededores de Venecia. No obstante, hubo que esperar hasta el siglo XIII para que las técnicas italianas, y en particular las venecianas, empezaran a dejarse notar en la producción de toda Europa. A principios del siglo XIV la producción de vidrio se había generalizado, y en el siglo siguiente las técnicas se perfeccionaron todavía más, acaso muy influidas por lo que había sucedido en el Mediterráneo oriental. Es probable que la destrucción de Damasco (importante centro vidriero) a manos del conquistador mongol Tamerlán el Grande en el año 1400 provocara un éxodo de artesanos hacia Italia. Lo mismo pudo suceder en 1453, cuando Constantinopla cayó finalmente en manos de los turcos.

Dos avances técnicos concretos sentaron las bases para la producción de un vidrio de calidad que permitió la revolución del conocimiento. El primero también revela la importancia que tuvo la recuperación de las técnicas desarrolladas por los antiguos vidrieros romanos. Los vidrieros de la isla de Murano, cerca de Venecia, experimentaron con las técnicas romanas y, a finales del siglo XV, desarrollaron un método para fabricar vidrio que consiste en incrustar delgadas cañas de vidrio de múltiples colores y que se conoce con el nombre de *millefiori*. Todavía más importante fue la aparición del cristal (o *cristallo*), palabra referenciada por primera vez en 1409. El cristal podía ser delgado, casi no pesaba, no tenía taras ni color y permitía a los vidrieros crear objetos de exquisita elegancia y formas intrincadas. Su pureza y finura causaban fascinación y deseo, de modo que contribuyó al renacimiento artístico que se estaba produciendo por aquel entonces en el norte de Italia.

En todas las civilizaciones encontramos cierta circularidad en el desarrollo del vidrio que depende principalmente de cómo se percibe; al mismo tiempo, cómo se percibe depende de su calidad y de su versatilidad. A medida que mejoraban las técnicas, más se codiciaba el vidrio y más dinero se invertía en mejorar su fabricación. Así pues, el auge del vidrio en Italia no obedece automáticamente al florecimiento económico que experimentó Europa a partir del siglo XII. Depende de otras fuerzas intelectuales y culturales.

Una de estas fuerzas es la creciente fascinación que causaban los materiales curiosos y preciosos, en particular entre los mecenas del Renacimiento. El cristal de roca era muy preciado, pues se le atribuían propiedades mágicas, pero sólo estaba al alcance de los ricos. El vidrio de calidad era una alternativa más barata, tan bello como el cristal de roca, pero más versátil. Los vidrieros venecianos empezaron también a imitar muchas otras piedras preciosas, como el ágata, el jade, el jaspe o el lapislázuli, dándole todo tipo de formas para fabricar desde copas a candelabros y cuentas de collar.

Georgius Agricola describió la sorprendente versatilidad de los vidrieros de Murano al relatar una visita a la isla en 1550:

Los vidrieros fabrican gran variedad de objetos: copas, ampollas, jarras, botellas globulares, platos, platillos, espejos, figuritas de animales, árboles y barcos. Los objetos son tantos y tan finos y hermosos, que si los mencionara todos me alargaría demasiado. Los he visto en Venecia, y sobre todo en Murano, donde los venden para la festividad de la Ascensión y donde se encuentran las factorías de vidrio más famosas.

El vidrio se había convertido en una importante forma de arte, una moda intelectual y cultural, lo que estimulaba los experimentos científicos y artísticos. Los ricos empezaron a construirse cristalerías privadas para dar rienda suelta a su curiosidad y satisfacer su anhelo de crear objetos hermosos. Trabajar el vidrio se convirtió en un noble ejercicio.

Hemos insistido mucho en el vidrio veneciano, pero no hay que olvidar que en Italia había otros centros de producción eminentes, sobre todo en la ciudad septentrional de Altare. Aunque más pequeñas que las de Murano, sus cristalerías ejercieron una influencia notable por el interés que pusieron en difundir sus técnicas, en vez de guardarse los secretos del oficio, como intentaron los muraneses. Había también otros centros vidrieros. Muchas otras ciudades italianas, como Padua, Mantua, Ferrara, Ravena y Bolonia, contaban con factorías de vidrio.

Las técnicas y el mismo vidrio italiano extendieron su influencia a toda Europa occidental, sobre todo a partir del siglo XVI. Entre los lugares que adoptaron las nuevas técnicas sobresalen los Países Bajos, y parece más que simple coincidencia que uno de los principales centros vidrieros del norte de Europa fuera a su vez el otro lugar de referencia de la pintura renacentista. La fabricación de vidrio cristalino se inició en Amberes en 1537, y en 1541 un veneciano fundó allí una fábrica de espejos.

No obstante, aunque la evolución del vidrio italiano, y en concreto del veneciano, tuvo enorme relevancia a partir de 1400, se tiene una imagen equivocada de lo que sucedió en los tres siglos precedentes. Cuando cayó el imperio romano, el vidrio estaba muy desarrollado en Alemania y Francia, tradición que se mantuvo y alcanzó su máxima expresión en Bohemia. Gracias a los últimos hallazgos de la arqueología medieval sabemos ahora que el vidrio delicado no nos ha llegado únicamente de Italia. De hecho en Europa imperaban dos tradiciones diferentes. La del norte, en Alemania, Francia, Flandes, Gran Bretaña y Bohemia, estaba hasta principios del siglo XV tan avanzada probablemente como la de Italia, si bien utilizaba técnicas y estilos diferentes.

En Bohemia las riquezas generadas por las minas de plata condujeron a una época de bonanza en la que prosperó un vidrio muy fino y transparente, de calidad excepcional, fabricado en la región a mediados del siglo XIV. Este vidrio se alimentaba de una tradición anterior, y llegó un momento en que los bohemios incluso superaron a los italianos.

La evolución del vidrio no se estancó con la aparición del excepcional vidrio veneciano del siglo XV. Tampoco quedó circunscrita su producción a Italia y Alemania. A partir del siglo XVI se produce un desplazamiento progresivo de la producción hacia el norte, y hacia finales del XVII Inglaterra se había convertido ya en el centro vidriero más importante del mundo. A Inglaterra, relativamente rezagada hasta entonces, afluyeron artesanos huidos de la Contrarreforma católica que se imponía en el continente, y éstos transmitieron sus técnicas y conocimientos a los vidrieros ingleses. Para fabricar vidrio en menor o mayor escala los hornos consumían ingentes cantidades de combustible. A principios del siglo XVII la escasez de leña trajo consigo un nuevo avance: la utilización del carbón en los hornos de fundición ingleses. De este modo los hornos alcanzaban mayor temperatura y se reducían los costes de producción. Estas mejoras hicieron posible la mayor contribución inglesa al arte del vidrio: el vidrio o cristal de plomo, patentado por George Ravenscroft a finales del siglo XVII y fabricado con potasa, óxido de plomo y sílex calcinado. Podía competir con el vidrio veneciano y producirse a gran escala; sus propiedades reflectantes eran diferentes de las del vidrio veneciano, pero combinándolo con él permitió construir telescopios de gran alcance en el siglo XVIII. La industria del vidrio creció a gran velocidad. En 1696 Houghton presentó una relación de 88 factorías de vidrio cuya producción consistía en: botellas (39), espejos (2), lunas y vidrio crown (5), ventanas (15), vidrio flint y vidrio común (27). De éstas, 26 se encontraban en Londres o sus inmediaciones.

La industrialización de la producción vidriera en Inglaterra, potenciada por el uso de un combustible como el carbón, que parecía inagotable, le dio ventaja en una época en la que el deseo de todo tipo de objetos de vidrio era cada vez mayor. Esto provocó a su vez una mayor innovación. La historia se repite una y otra vez con el tira y afloja de los fabricantes que o bien buscan un refugio seguro, o bien intentan abrir nuevos mercados.

Había surgido una civilización en la que el vidrio lo impregnaba todo: no sólo la joyería y los utensilios, sino también los espejos, las ventanas y las lentes. Se asentaba sobre los conocimientos y el oficio de los romanos, lo que, sumado al rápido florecimiento económico de la Europa medieval, permitió dar un fuerte impulso a la investigación y la utilización del vidrio. Entre 1100 y 1600 la sociedad había pasado de utilizar este material en contadas aplicaciones y en pequeñas cantidades a disfrutar de un vidrio de excelente calidad como material de uso corriente. El vidrio había dejado de ser un sustituto de las piedras preciosas y la cerámica para convertirse en algo totalmente nuevo. Reflejaba con nitidez la imagen de quienes se miraban en él, resguardaba del frío sin impedir ver la calle y permitía observar los objetos más minúsculos y cercanos de nuevas formas. Tanto la velocidad con que se desarrolló como el hecho de que se trataba de un material tan extraordinario, capaz de modificar el sentido más importante del ser humano, la vista, tuvieron consecuencias inmensas. El momento, el lugar y el impulso con que se produjo este fenómeno lo convierten en el factor que estamos buscando. Pasemos a continuación a examinar más de cerca cómo transformó la ciencia y el arte.

VIDRIO EGIPCIO PRIMITIVO

a hacia 1370 a.C. para conservar líquidos. E[
mayoría opaco, como puede verse. Habría
ara que se extendiera el transparente. Po
o el vidrio fue una mera alternativa a la
ar piedras preciosas opacas. (Tomada de I

DE PLOMO INGLÉS DEL SI[...]

glés, que se desarrolló en[...]
[...]II, se convirtió, gracias a s[...]
[...]o de Europa. El azar quis[...]
[...]ormemente los telesconi[...]

VIDRIO, ALQUIMIA Y QUÍMICA

El vidrio ha sido un material fundamental para investigar las propiedades de diversas sustancias a lo largo de la historia, ya que es inerte y
no afecta al experimento. Al principio fue especialmente importante en
la alquimia, como puede observarse en el laboratorio que muestra *El*
alquimista, de Giovanni Stradanus (Florencia, Palazzo Vecchio), lleno
de instrumentos de vidrio. Después fue un material indispensable
para fabricar aparatos de experimentación química, característica
esencial de la revolución científica. (Tomada de Brock, portada.)

APARATOS UTILIZADOS POR PRIESTLEY

Joseph Priestley fue uno de los más destacados científicos del siglo XVIII. La fotografía muestra uno de los aparatos que se solían emplear en los primeros estudios sobre las propiedades físicas y químicas del aire y de otros gases. Este tipo de experimentos no habría sido posible sin instrumentos de vidrio. (Tomada de Ihde, p. 42, que a su vez la reproduce de Priestley.)

FESTIVAL CHING MING SOBRE EL RÍO

pintura en rollo a tinta y color sobre s
Esta famosa pintura de la vida en las
los pintores de la dinastía Sung del n
la pintura realista, los sombreados y
as que posteriormente abandonaron p
tas e inapropiadas para la pintura erud

ARTILUGIO PARA PINTAR DE DURERO

pintor esboza el motivo principal de su pintura y los elementos
orno dibujando a lápiz o a pincel sobre una lámina de vidrio tr
ente. Después se rellenan con pintura los contornos del croq
jo tiene que mirar tanto el vidrio como el objeto retratado d
posición fija. Para ello el pintor se vale de un artilugio que pu
tar gracias a un pequeño orificio. (Tomada de Kemp, p. 172.)

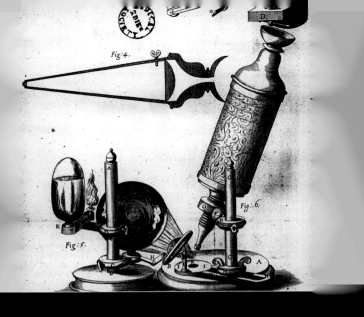

MICROGRAFÍA

o compuesto de Robert Hooke. Lo utilizó para es
eros libros ilustrados sobre objetos microscópic
se llevaran a cabo descubrimientos que culmi
la comprensión del funcionamiento de las enfe
. El microscopio desveló un mundo invisible p
del que sólo la ciencia (con ayuda del vidrio) p

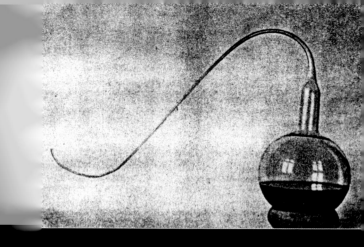

PIPETA DE PASTEUR

cada de 1860, cuando se realizó esta ilustración, estaba
endida la idea de que la vida podía generarse espontán
las enfermedades podían surgir sin la intervención
ria orgánica inerte. Pasteur refutó la teoría de la genera
a en una serie de experimentos para los que utilizó nu
de vidrio con cuello de cisne como ésta. (Véase anex

CRONÓMETRO DE HARRISON

Vista frontal del H.4, el premiado reloj de Harrison, fundamental para resolver el problema de medir con precisión la longitud desde el mar. Este y otros cronómetros en miniatura no habrían podido funcionar sin la tapa frontal de vidrio que los protegía de los riesgos que comportaban las travesías marítimas: el viento, la sal del aire y el peligro de que cayeran objetos encima durante las tormentas. El original está en el Museo Marítimo Nacional de Greenwich (inv. Ch.38). (Tomada de Andrews, p. 240.)

PINOS Y MONTAÑAS

Estas dos pinturas, pintadas varios siglos después que el *Festival Ching Ming sobre el río* de la ilustración 5, son mucho menos realistas. Predominan la imaginación y la representación simbólica, que atiende a convenciones estilísticas posteriores. El *Festival Ching Ming sobre el río* se pintó in situ, mientras que éstas se pintaron de memoria. En la más antigua el fondo y el frente aparecen igualmente detallados, mientras que en éstas los detalles se limitan al primer plano y el fondo aparece muy difuminado, característica muy extendida en la pintura china posterior. El pintor de la primera tenía que ver bien de lejos; los de éstas podrían haber sido miopes que hubieran visto pinturas similares de cerca. (Izquierda: Sansetsu, *Lluvia*, Londres, Museo Británico. Derecha: Ma Yüan, *Pinos y montañas*, Tokio, colección del barón Yanosuké Tomadas de Binyon, *Painting*, pp. 206 y 154.)

DOS VISTAS DE DERWENTWATER

Estas dos representaciones del lago y las montañas, pintadas desde una posición ventajosa similar, muestran un tratamiento muy diferente de la distancia. El artista chino, que atiende a su tradición, pinta el fondo confuso, estilizado y difuminado, tal como lo observarían muchos espectadores chinos. (Arriba: Chiang Yee, *Vacas en Derwentwater*, 1936, pincel y tinta. Abajo: Anónimo, *Derwentwater, mirando hacia Borrowdale*, 1826, litografía. Tomadas de Gombrich, *Art and Illusion*, p. 74.)

Primera vez que se representan gafas de vidrio cóncavo para la miopía. Las lentes cóncavas se empezaron a fabricar en Europa un siglo y medio después de que se instauraran las convexas, para la vista cansada. (Jan van Eyck, *Virgen del canónigo Van der Paele* (detalle), 1436, óleo sobre tabla, Brujas, Groeningemuseum.)

NIÑOS MIOPES EN CHINA

Otto Rasmussen describe esta fotografía como «la más publicada en oftalmología»; el autor la compró hacia 1924 en una tienda de fotografía de Tientsin que vendía instantáneas no profesionales de «escenas típicas chinas, ni preparadas, ni tomadas por encargo». Los niños escriben con la cara muy pegada al papel. El aprendizaje de más de tres mil caracteres chinos muy detallados obligaba a forzar la vista en poblaciones de Asia oriental influidas por la cultura china. El esfuerzo es muy superior al que exigen los sistemas de escritura europeos. La escasa iluminación, ya que las escuelas no tenían ventanas de vidrio, solía agudizar el problema. (Tomada de Rasmussen, *Chinese Eyesight*, p. 58.)

3

El vidrio y los orígenes de la ciencia

Lo uno queda, lo vario muda y pasa.
La luz del cielo es resplandor eterno,
la tierra sombra efímera. La vida
cual cristalino domo de colores
mancha y quiebra la blanca eternidad.

Percy Bysshe Shelley, *Adonais*

La influencia del vidrio en la construcción de los cimientos filosóficos y prácticos que permitieron difundir el conocimiento fidedigno en los tiempos de Francis Bacon y Galileo, a finales del siglo XVI, es en buena medida invisible. No obstante, conviene entender qué sucedió en periodos anteriores por al menos dos motivos. No entenderemos la eclosión científica que se produjo a partir de 1600 si no la vemos como una onda expansiva del desarrollo científico iniciado previamente en Occidente, que ya había experimentado varios impulsos con anterioridad, en particular el iniciado en el siglo XIII. Esta eclosión guarda relación también con lo que ahora englobamos bajo el concepto de las «artes». La ciencia y el arte, la búsqueda de la verdad y de la belleza, no avanzaban separadas. El periodo al que ahora nos referimos como Renacimiento «artístico» sólo puede entenderse como la aplicación de parte de los descubrimientos de la geometría y la óptica medievales.

En los tiempos de Bacon y Galileo la ciencia se fundamentaba ya sobre cuatro pilares, sin los cuales no habrían tenido lugar los avances del siglo XVII. Había toda una serie de técnicas, el llamado método experimental. Había cierta actitud de curiosidad, se creía en

la posibilidad de descubrir cosas nuevas y se confiaba en que existían leyes más profundas que desentrañar más allá de la realidad
superficial, y que el hombre debía desentrañarlas. Había un conjunto de herramientas matemáticas, en particular la geometría y el
álgebra, así como vastos conocimientos acumulados sobre el mundo natural y su funcionamiento. Y existían finalmente los laboratorios, llenos de herramientas de pensamiento, muchas de ellas de
vidrio, pero también otras, como el astrolabio, para investigar y medir la naturaleza con precisión. En el equipamiento de estos laboratorios se reflejaba la enorme influencia de los experimentos al-
químicos: retortas, matraces, jarritas, espejos, lentes y prismas, todos
ellos utilizados por la química, la física y la óptica. El surgimiento
de todo esto no es tan obvio. De hecho podríamos decir que va
contra algunas de las tendencias más poderosas relacionadas con el
conocimiento humano.

Einstein describió la ciencia como la combinación de dos elementos: la geometría griega y el método experimental, y vinculó este
último al Renacimiento. Sin embargo, gran parte de los estudios realizados en la segunda mitad del siglo XX mostraron que el método experimental surgió antes de los siglos XV y XVI. En cierto sentido, el método es efectivamente atemporal. Desde que nacieron las
especies todos los animales, y por consiguiente el *homo sapiens*,
han utilizado el método experimental, es decir, la formulación de
hipótesis que luego se ponen a prueba. Cuando a un niño se le ad-
vierte de que la sartén está caliente, la toca ligeramente para comprobarlo e incorpora un nuevo conocimiento, que viene a corroborar la ley general de que los objetos recién retirados del fogón
conservan el calor durante cierto tiempo. Todas las civilizaciones
han hecho sus experimentos, y la griega no fue una excepción.

Quizá sería más preciso parafrasear a Einstein. Hablamos de grados, no de cambio absoluto. Todos experimentamos, pero algunos más
que otros. Aunque en nuestra vida diaria abundan los experimentos, es innegable que en muchas civilizaciones se ha creído, y cada vez

más, que con el conocimiento de la naturaleza bastaba. Sabíamos todo lo que necesitábamos saber: Buda, Confucio, Mahoma y Aristóteles nos habían dado las respuestas. ¿Para qué experimentar? Muchos de los que ostentaban el poder sostenían que no había que hacerlo, fuera porque lo consideraban una blasfemia o porque ponía en duda la doctrina aceptada, sobre la que se sustentaba su derecho a gobernar. Esto nos recuerda las enormes trabas que siempre se han puesto al conocimiento humano del mundo natural.

Como señaló Karl Popper hace algún tiempo, la sociedad abierta, la que no deja nunca de investigar y evaluar la naturaleza y las relaciones sociales, tiene muchos enemigos. La mayoría de seres humanos prefiere la certidumbre y el orden a todo lo demás. Las innovaciones y los cambios amenazan con poner en peligro ese afán de orden. Las nuevas ideas pueden resultar subversivas y peligrosas. Gran parte de la historia revela que los sistemas de pensamiento tienden a encerrarse en sí mismos, a solidificarse y levantar barreras para evitar toda perturbación.

Un aspecto relacionado con lo que acabamos de explicar es lo que podríamos llamar la tendencia al pensamiento inquisitorial. Tras un periodo de innovación y entusiasmo, sea el de la Grecia del siglo V, el islam del siglo XI, la China del siglo XII o la Italia del siglo XV, cuando se ponen en duda las ideas establecidas y se impone la «amplitud de miras», se suele producir una reacción. Esta reacción procede de quienes nunca han perdido el control de los sistemas de pensamiento: la Inquisición católica, el partido comunista o cualquier sistema cerrado ya implantado. Las «herejías» se cortan de raíz; cualquier desafío al sistema de pensamiento se ve como una amenaza contra el orden social y político. La policía del pensamiento se pone en guardia, pero no es preciso que entre en acción, porque la autocensura opera sobre el individuo, sometido a todo tipo de presiones, incluidas las de sus seres queridos.

La idea de que los sistemas, una vez «abiertos», se vuelven cada vez más libres es una creencia naíf que no podemos seguir aceptando. Suele haber más gente personalmente interesada en mantener el status quo intelectual (y tecnológico) que gente interesada en cambiarlo. Esa gente suele ser la que controla el acceso al conocimiento, porque tiene en sus manos el sistema educativo. Ya la defiendan jesuitas, mandarines o mulás, la idea de que hay cosas que no se pueden poner en duda se impone por doquier. Es más importante aprender las verdades de siempre que reinterpretarlas y aprender verdades nuevas.

De hecho, cuanto más se encierra un sistema en sí mismo, más difícil resulta poner en duda los pilares sobre los que se sustenta. Para empezar, no se puede pensar nada nuevo. Si por casualidad sucede, se aniquila desde el primer momento. Las dificultades las impone la propia naturaleza sistemática y absoluta que define el sistema, formado por una serie de normas inamovibles y de asociaciones lógicas. Cuestionar una parte del sistema significa cuestionarlo en su totalidad, como ha ocurrido en algunas ramas y fases del islam, del catolicismo romano y del confucianismo. Lo insólito son los casos contados en que esa habitual tendencia al entumecimiento no se produce y el sistema consigue mantenerse abierto y seguir abriéndose.

Una segunda dificultad, que agrava la política, es la que podríamos definir como la trampa del brahmán o del mandarín. Uno de los grandes avances de la historia de la humanidad es la mejora de las tecnologías de la mente: el mayor poder que otorga la letra escrita, los nuevos lenguajes simbólicos de las matemáticas y los nuevos sistemas filosóficos. En el siglo v a.C., especialmente entre los griegos, pero también en China, India y Oriente Próximo, se utilizaban ya poderosas herramientas de pensamiento. ¿Por qué tardaron tanto en hacer más profunda la comprensión del mundo que nos rodea?

Un motivo parece ser la tendencia de los grupos instruidos a obsesionarse más con la forma de las herramientas intelectuales y su difusión que con sus contextos y aplicaciones. Los medios, las herramientas de pensamiento, devienen fines en sí mismos. Se favorece la memorización, la recitación incesante, la repetición; prima la obsesión por transmitir la herencia al pie de la letra. En otras palabras, el conocimiento se convierte en rutina y se burocratiza. Todo se codifica y acalla en el proceso. El objetivo es afirmar la doctrina heredada sin cuestionarla. La refutación y la lógica contrastiva de los griegos, unidas a la estructura social de Europa en el momento de su redescubrimiento, evitaron que esta tendencia se llevara hasta sus últimas consecuencias. Con todo, tuvo mucha fuerza y hoy vemos cómo se manifiesta con intensidad en el acartonado pensamiento árabe y chino. Se entrenaba la mente para que no fuese más que una biblioteca de verdades semirrituales o religiosas. No había que buscar verdades nuevas, sino ahondar en las antiguas y completarlas.

Aún había otro obstáculo que se sumaba a estas fuerzas disuasorias. La persona que experimenta tiene pocas probabilidades de salirse con la suya. Las herramientas y las técnicas al servicio de los descubrimientos son escasas, y las relaciones de causalidad, demasiado complejas e inaccesibles para un solo par de ojos o un solo cerebro.

Así pues, ¿qué es preciso para favorecer el conocimiento acumulativo y dar paso a un mundo nuevo y abierto en el que circule información fidedigna? ¿Qué hace que un método experimental deje de ser una mera cuestión de supervivencia individual y se extienda y acepte como vehículo para reinterpretar la visión que heredamos del mundo? Probablemente muchas cosas, pero sólo podemos detenernos brevemente en algunas de ellas. Algunas resultan evidentes si nos fijamos en los dos picos de experimentación que precedieron a Galileo.

El primer impulso lo debemos a los científicos árabes de los siglos IX-XII, de los que cabe destacar tres aspectos. Aparecen nuevos marcos teóricos en otras civilizaciones, y para absorberlos hay que someterlos a prueba y explorarlos. La recuperación y la absorción de los descubrimientos griegos, y en menor medida de los romanos, no es más que una parte. Se absorben también ideas de Oriente, mayormente las matemáticas de India y la vasta cultura china. Los grandes pensadores de esta fecunda zona, alimentados por múltiples corrientes de pensamiento, tuvieron que incorporar nuevas teorías en sus sistemas filosóficos. La poderosa civilización islámica, que abrazaba toda la región euroasiática, se encontraba en un ideal punto de confluencia entre Oriente y Occidente en el que se generaban las fuerzas propicias para la experimentación. La capacidad de asombro, de sorpresa, de perplejidad, de dejar que fluyera lo nuevo, elementos todos ellos esenciales para la ciencia, estaban allí. No obstante, si eso hubiera sido todo, seguramente la cosa no habría ido más allá de traducciones, anotaciones y de algún que otro avance en matemáticas y teoría general.

Para experimentar se necesitan herramientas, tanto mentales como prácticas. Tras la caída del imperio romano, la zona árabe era el principal centro de producción vidriera del mundo. En el siglo IX se fabricaban allí exquisitas creaciones de vidrio de todos los tamaños, formas y colores. Si un científico quería un matraz para comprobar sus teorías químicas, no tenía más que pedirlo. Si necesitaba vidrio para refractar la luz, para hacerlo añicos y examinar sus componentes, para ampliar los detalles invisibles a simple vista o para hacer experimentos y comprobar si la visión se debía a la luz que entraba o a la luz que salía del ojo, lo tenía también. El vidrio proporcionaba productos que, junto con las herramientas de la matemática y de la lógica traídas de India y de Grecia, facilitaban la experimentación.

Los pensadores árabes disponían de espejos e instrumentos reflectantes o refractantes que consistían básicamente en burbujas de vidrio rellenas de algún líquido, como el agua. Los romanos ya utilizaban estas burbujas, y tanto Plinio como Séneca hablaban de una especie de lente con superficie esférica obtenida fabricando una bola de vidrio soplado que, a diferencia de las lentes corrientes, no era preciso pulir. Los árabes heredaron este artilugio, que aumentaba los objetos concentrando los rayos del sol y podía utilizarse como lente para prender fuego. Tenía además otra aplicación:

si se rellenaban dos bolas con agua, una de, por ejemplo, cuatro centímetros de diámetro y otra de diez, y se miraba a través de ellas colocando la más pequeña cerca del ojo y la mayor a poca distancia de la pequeña, podía verse la imagen invertida (y muy borrosa), pero aun así bastante aceptable, de objetos distantes algo ampliados. Actuaban como lentes y eran fáciles de fabricar si se dominaba la técnica del soplado y se contaba con vidrio transparente, como sucedía en algunos centros de producción islámicos.

Aquellas tentadoras imágenes invertidas despertaron la imaginación de los pensadores desde el siglo VIII al XVI. Dieron lugar a observaciones como la de Roger Bacon de que «los objetos más distantes pueden parecer al alcance de la mano», y llevaron a estudiosos posteriores a pensar que los científicos árabes y europeos medievales poseían una especie de telescopio. En cierto sentido así era, porque conseguían ampliar las imágenes, pero estaban tan distorsionadas, que no tenían utilidad práctica. Para ello hubo que esperar a que aparecieran las lentes de principios del siglo XVII.

Los instrumentos de vidrio desempeñaron un papel vital en la época de máxima experimentación en los países islámicos, entre los siglos IX y XII. Para comprobarlo basta con examinar los campos en los que los pensadores árabes hicieron sus principales aportaciones. En medicina es fundamental el uso del vidrio para observar lo diminuto o analizar los compuestos. En química, una de las disciplinas más desarrolladas por los árabes, los tubos de ensayo, las retortas y los matraces son imprescindibles en el laboratorio. En óptica, cuyos avances influyeron a su vez en la física y la geometría, los árabes nos enseñaron cómo funcionan los prismas y los espejos. Sabían crear el espectro de color aprovechando el efecto dispersor de un cristal de roca natural, y es posible que supieran utilizar lentes plano-convexas, pues, aunque no se han encontrado restos que lo corroboren, se han hallado referencias en los textos que indican que las conocían.

El primer gran pensador en el campo de la óptica fue Al-Kindi (h. 801-866), que elaboró una teoría de la luz y puso algo de orden en la barahúnda de observaciones y las reliquias heredadas de la ciencia griega. Alrededor del año 984 Ibn Sahl escribió un tratado sobre lentes incendiarias y otros tipos de espejos. En él demostraba poseer un gran dominio de las leyes geométricas, aportación fundamental para el posterior desarrollo de ciencias como la óptica y la física. Su importancia radica no sólo en la pertinencia de sus observaciones, sino en que al aplicar las leyes geométricas a un proceso físico sentó las bases para la utilización de las matemáticas en la óptica. Para llegar a este punto se necesitaba, por supuesto, ir más allá y suponer que la luz viaja en línea recta, hipótesis que no les era ajena y que habían desarrollado mediante la observación diaria de los rayos de luz que atraviesan las nubes o los orificios de los postigos. Estos estudios marcaron el tono riguroso del pensamiento lógico que serviría de trasfondo a la experimentación, que es la base del progreso de ese conocimiento fidedigno que también conocemos como ciencia.

Alhazen, posiblemente el principal teórico árabe de la luz, nacido hacia el año 965, trabajó en El Cairo copiando obras de Euclides y Ptolomeo. Murió alrededor de 1041 y dejó escritos unos 120 libros. Sus estudios sobre óptica se tradujeron al latín hacia el año 1200. *Óptica* se imprimió en 1572 y sirvió de base a la especulación hasta que Kepler la revisó, en 1610. Kepler partió de las observaciones de Alhazen y sacó sus propias conclusiones empíricas. Realizó, por ejemplo, un famoso experimento que consistió en colocar tres velas frente a una pantalla en la que practicó un pequeño orificio y observó los puntos de luz que las velas proyectaban sobre la pared a través de la pantalla, lo que le permitió comprobar que los rayos de luz viajaban en línea recta y que al pasar por el orificio ni se fundían ni se torcían. Afirmó que la percepción era puramente visual y que reconocíamos los objetos gracias a la memoria y a la deducción. La luz no sale del ojo en busca de los objetos, como defendían los antiguos, sino que son las formas y los colores los que entran por los ojos. Sugirió que en la superficie de los objetos había muchos puntos y manchas diferentes que el ojo percibía y reordenaba. Se ocupó de una cuestión antigua de forma nueva y nos ayudó a entender cómo funciona el ojo. No obstante, no llegó a diseccionar un ojo –la ley islámica lo prohibía–, de ahí que su esquema de la anatomía ocular fuera erróneo. Es posible que inventara la *camera obscura* y seguro que utilizó una.

A pesar de los enormes avances de los teóricos árabes, en general se considera que no llegaron a abrirse paso en ese conjunto de prácticas interconectadas que llamamos ciencia. Los expertos que se han centrado en su estudio están de acuerdo en que, por un motivo u otro, los pensadores árabes se quedaron atrás ante el progreso de la ciencia en Europa occidental a partir del siglo XIII.

Los teóricos árabes conocían el vidrio plano-convexo y lo utilizaban, pero al parecer no utilizaban lentes de doble cara. En sus escritos reflexionaban sobre los espejos esféricos y parabólicos, la *camera obscura*, las lentes plano-convexas y la visión. Sin duda los pensadores europeos medievales también conocían los prismas y las lentes plano-convexas y las utilizaban en sus experimentos. Aunque apenas hay indicios de que la lente de doble curvatura se conociera antes de 1280, en nuestra opinión sería taxativo decir que hasta entonces no se había utilizado, y no cabe duda de que podría llevar a malinterpretar los escritos sobre el efecto lupa del vidrio de los científicos medievales, de tan notable influencia. Si, como veremos, una de las aplicaciones más revolucionarias del vidrio fueron los telescopios y los microscopios, las semillas hay que buscarlas en el siglo XIII. Vale la pena citar los célebres escritos de dos pensadores que reflexionaron sobre las posibilidades que ofrecía el vidrio para ver cosas nuevas. Ambos reflejan muy bien cómo los primeros pensadores intuyeron las extraordinarias propiedades del vidrio que el retraso tecnológico les impedía aprovechar.

Robert Grosseteste (h. 1175-1253) dice sobre el vidrio en su *Perspectiva*:

Nos muestra cómo hacer que las cosas que están muy lejos parezcan estar muy cerca y que las cosas grandes que están cerca parezcan muy pequeñas, y cómo hacer que las cosas pequeñas que están lejos aparezcan con el tamaño que queramos, de modo que podemos leer las letras más pequeñas a distancias increíbles, o contar la arena, el grano, las semillas o cualquier objeto por pequeño que sea [...] Geométricamente es obvio que, dado un cuerpo transparente (*diaphanum*) de tamaño y forma conocidos colocado a cierta distancia del ojo [...] puede hacerse que todos los objetos visibles aparezcan en todas las posiciones y tamaños que se deseen, y que los objetos muy grandes parezcan muy pequeños o, al contrario, que los muy pequeños y muy lejanos parezcan muy grandes y sean fáciles de discernir a simple vista.

Roger Bacon (1214-1294) llevó estas ideas más allá, pues ya contaba con la obra de Alhazen. Escribió:

Si se observan las letras de un libro o cualquier objeto diminuto a través del segmento más pequeño de una esfera de vidrio o cristal, apoyando sobre ellos su base plana, parecerán mucho más grandes y se verán mejor [...] Este instrumento resulta útil, por tanto, para los ancianos y para aquellos a quienes les falla la vista, pues podrán ver las letras más pequeñas con aumento suficiente [...] Hace que los objetos de mayor tamaño parezcan muy pequeños y a la inversa, y que los objetos más distantes parezcan al alcance de la mano, y a la inversa. Al poder dar forma a cuerpos transparentes y disponerlos, respecto al ojo y los objetos, de manera que los rayos se refracten y desvíen hacia donde queramos, podemos acercar o alejar los objetos con el ángulo que nos plazca. Y de este modo podemos leer las letras más pequeñas a una distancia increíble, gracias a la amplitud del ángulo con que las vemos; o al contrario, podemos ser incapaces de distinguir los objetos grandes que tenemos justo enfrente por la pequeñez de los ángulos con que se nos aparecen. No es la distancia la que afecta a este tipo de visión, salvo por accidente, sino la amplitud del ángulo.

Aunque para llevar esta teoría a la práctica hubo que esperar a que las lentes de los primeros anteojos se transformaran en telescopios y microscopios, se había ya lanzado la idea de que el vidrio abría nuevas vías de conocimiento: la microscópica y la macroscópica. El inmenso potencial de las lentes, en parte desarrolladas por los pensadores árabes, empezaba a materializarse.

La velocidad con que avanzó el nuevo conocimiento en la Europa medieval es de sobra conocida. Gran parte de la gran tradición científica grecorromana se había perdido o tergiversado tras la caída del imperio romano. Aunque se conservaban algunas obras, quizá se habían perdido las tres cuartas partes o incluso más. En los siglos XII y XIII la eclosión de las traducciones, muchas de ellas del árabe, transformaron el saber en Europa occidental. Coincidiendo con la fundación de las universidades y el florecimiento de la Iglesia y la economía, que a su manera proporcionaron la infraestructura institucional en la que pudo desarrollarse el aprendizaje, empezaron a afluir nuevos conocimientos. No sólo se podía acceder a los sorprendentes descubrimientos de los griegos, y en menor medida de los romanos, en particular en el caso de estos últimos en los campos de la historia natural, la ingeniería y la medicina, sino que Europa recibía ahora el impulso añadido de los avances de los teóricos árabes en los ámbitos de la síntesis y de la ampliación. Habían absorbido además gran parte del acervo de China e India, en concreto un mejor sistema matemático, y habían contribuido a desarrollarlo con sus propias observaciones experimentales y teóricas.

En un periodo de unos ciento cincuenta años los europeos occidentales dejaron de ser una sociedad en la que hasta los mejor informados sabían poco de los principios del mundo natural, apenas lo que se había conservado en algunos monasterios complementado con una pizca de ingenio, y pasaron a contar con gran parte del conocimiento fidedigno que en tres mil años se había ido acumulando en casi toda la región euroasiática. El entusiasmo, el afán de cuestionar, de preguntarse y la curiosidad son palpables en la obra de los grandes pensadores de la época, y quizá en la de Roger Bacon más que en ninguna otra.

Esta curiosidad, el afán por experimentar y especular, la conciencia de que se estaban ampliando los horizontes del saber, de que no todo se sabía y de que había nuevos mundos hallaron eco en el rápido florecimiento económico y tecnológico de la época. El nuevo ímpetu de la energía gracias al aprovechamiento intensivo del viento, el agua y los animales, el crecimiento del comercio y las ciudades, y la difusión de la cristiandad, que cuando menos temporalmente aceptó que se estudiaran las leyes de Dios, propiciaron la experimentación y la indagación. El símbolo y la expresión de este florecimiento son los edificios religiosos, la imponente construcción de las catedrales góticas. Las catedrales nos permiten trazar una vez más una analogía de cómo el afán por preguntarse y la curiosidad abrieron el camino a nuevos experimentos.

Como hemos visto, a partir de finales del siglo XII resurgió en Europa una tradición vidriera que no había llegado a caer en el olvido. Este resurgimiento tuvo más repercusión en el norte de Italia, pero también en casi toda Europa occidental. El arte del vidrio, nutrido a su vez por los últimos descubrimientos de la geometría y la óptica, floreció, y cada vez se potenció más la fabricación de vidrio aplicado a la mejora de la vista humana.

Un ejemplo de lo complejas que pueden ser las relaciones entre los nuevos instrumentos de vidrio y el conocimiento lo encontramos en el desarrollo de las matemáticas en la Edad Media. A primera vista las matemáticas parecen tener poco que ver con el vidrio. Al fin y al cabo, las matemáticas árabes, en particular la aritmética y el álgebra, tan fundamentales, procedían de una civilización en la que apenas se conocía el vidrio, la india. Sin embargo, es significativo que Einstein, al hablar de la herramienta básica de la «revolución científica», no se refiriera a las matemáticas, sino a la geometría (euclidiana). Puede que la geometría en sí misma no sea más importante que el álgebra o la aritmética, pero sin los avances de la geometría muchos de los grandes descubrimientos de la astronomía a partir de Copérnico serían inconcebibles. Se sabe que en China apenas se desarrolló y que los griegos sentaron las bases, pero fueron los matemáticos islámicos y después los europeos de la Edad Media los que la recuperaron y la enriquecieron. No fue por tanto una simple recuperación del legado griego que se había perdido, tarea ya de por sí difícil. Se mejoró con creces la comprensión del espacio y de la luz, que son la base de la geometría.

Estas mejoras fueron posibles gracias a los avances de la óptica y especialmente a los minuciosos estudios sobre la reflexión, la refracción y el análisis de la luz de Adelard, Grosseteste y Bacon, entre otros. Para ello se valieron de instrumentos de vidrio, sobre todo espejos, prismas y lentes. Con todo, los instrumentos de vidrio también fueron muy importantes en los experimentos de la geometría para mantener el interés, para construir una comunidad de estudiosos que trabajaran en común, para crear la sensación de que se controlaba y comprendía mejor problemas hasta entonces inabordables. Su papel ha quedado empañado con el tiempo, porque una vez realizados los descubrimientos, los instrumentos parecen baladíes. Cuando las cosas están ya hechas, quizá parezcan fáciles, incluso inevitables, pero para poner a prueba y mejorar la geometría griega a los grandes filósofos y matemáticos medievales les fue imprescindible contar con aquellos nuevos instrumentos, de los que habían carecido los griegos, aunque sólo fuera para que su trabajo adquiriera mayores amplitudes.

En los últimos años se ha ido reconociendo cada vez más el nivel y la importancia de la óptica medieval. Esto se debe en parte a la obra de A.C. Crombie, que señaló que las investigaciones sobre las causas del arco iris —realizadas observando los rayos de sol a través de un vidrio esférico, normalmente un frasco de orina lleno de agua que refractaba la luz y luego la reflejaba en su interior, prismas de vidrio o cristales hexagonales, entre otros instrumentos— empezaron con Grosseteste, siguieron con Alberto Magno, Roger Bacon y Vitelio en el siglo XIII, y concluyeron a principios del XIV con Teodorico de Friburgo. Toda esta investigación con vidrio fue crucial para desarrollar dos de los pilares metodológicos de la ciencia moderna: el método experimental y el principio de economía (conocido como la navaja de Ockham, según el cual la naturaleza se rige por los principios más cortos y más sencillos).

Especial importancia revistió la obra de Roger Bacon. Dos de sus escritos versaban sobre óptica: *De multiplicatione speciarum* proponía una filosofía de causalidad natural basada en un modelo óptico, y *De speculis comburentibus* investigaba cómo se propagaba la luz y lo aplicaba al análisis de la lente incendiaria. Éstas fueron sus obras más celebradas e influyentes, en las que abordaba los problemas de la óptica geométrica y ampliaba, como hemos visto, la metodología introducida por los árabes y su gran aportación al desarrollo de las ciencias. Todo este trabajo no habría sido posible sin instrumentos ópticos, en su mayoría de vidrio. Bacon examinó diferentes superficies curvas y comprobó cómo se cumplían en ellas los principios de refracción y reflexión valiéndose de espejos cóncavos y convexos. Observó las imágenes reflejadas en los espejos para ver cómo sucedía. Los espejos, los prismas y las lentes permitieron que se desarrollaran las nuevas matemáticas y la geometría.

Existen varias razones por las que la expansión de la cultura religiosa en la Europa medieval llevó al desarrollo de ideas anteriores. Los científicos europeos tenían a su disposición más conocimientos que los pensadores árabes; además de la recuperada tradición griega contaban con todo el compendio árabe. Las nuevas corrientes de pensamiento se introducían en Europa occidental a mucha más velocidad. Lo que en el mundo árabe tardó medio milenio en cuajar, en Europa tardó una tercera parte, con lo que la búsqueda de explicaciones y la curiosidad recibieron mayor impulso. La repercusión de este afloramiento y de esta afluencia de nuevos conocimientos debió de ser inmensa.

Al mismo tiempo la calidad del vidrio que se empleaba en los experimentos era muy superior. Cada vez se hacían más espejos de vidrio, que reflejan mejor la profundidad y el color que los de metal. Las lentes que empezaban a utilizarse permitían observar un mundo hasta entonces invisible a la vista, los prismas se habían perfeccionado y los aparatos químicos mejoraron al aumentar rápidamente la calidad del vidrio.

De hecho es casi imposible imaginar un laboratorio sin vidrio. Si elimináramos las retortas, los matraces, los recipientes, los espejos, las lentes, los prismas y demás objetos de vidrio, ¿qué quedaría en él aparte de algunos libros e instrumentos de medición? En las descripciones medievales los espacios en que los científicos occidentales llevaban a cabo sus experimentos suelen aparecer abarrotados de instrumentos de vidrio. Entre el vidrio medieval recuperado en Inglaterra, por ejemplo, encontramos gran variedad de instrumental químico. Ahora bien, los laboratorios equipados con vidrio no se conocían fuera de Europa occidental ni, hasta cierto punto, del mundo islámico.

Como hemos visto, una de las aplicaciones del vidrio que se desarrolló con gran rapidez fueron las ventanas, transparentes y coloreadas, especialmente en la mitad norte de Europa. Entre sus repercusiones prácticas destaca la mejora de las condiciones laborales. En la fría y oscura Europa septentrional la gente pudo empezar a trabajar más horas y con mayor precisión, pues las ventanas les protegían de la intemperie. Entraba luz, pero el frío se mantenía alejado. Antes del vidrio sólo se utilizaban finas telas de cuerno o pergamino, y los vanos de las ventanas eran necesariamente mucho más pequeños, de modo que entraba menos luz.

Se podría afirmar también que las ventanas influyeron profundamente en el pensamiento. La cuestión es si el vidrio, sea de un espejo, una ventana o una lente, tiende a centrar y estructurar el pensamiento al enmarcar lo que vemos, y si al mismo tiempo favorece la abstracción y la atención a los detalles de la naturaleza. Es probable que el vidrio de las ventanas cambiara la relación del hombre con su entorno de maneras ahora difíciles de rescatar. Puede que animara a contemplar la naturaleza desde casa, a contemplarla porque sí, a través de la ventana. De todas formas la transparencia no fue más que uno de los factores que convirtieron las ventanas en marcos mágicos. Un dato muy notable es que todos los grandes científicos medievales eran clérigos: Adelardo de Bath, Pecham,

Grosseteste y Bacon. Aunque puede que fuera por el hecho de que sólo los que se ordenaban sacerdotes tenían el tiempo y el acceso al conocimiento necesarios para hacer aportaciones de alto nivel, no deja de ser interesante que se volcaran tanto en el estudio de la óptica y disciplinas afines. ¿Es sólo casualidad que vivieran en la misma época en que se construyeron las catedrales? Parece probable que la luz que inundaba los templos a través de las imponentes vidrieras los influyera.

No es de extrañar que la óptica se convirtiera en el principal campo de la ciencia medieval en Occidente, como lo fuera la física en siglos anteriores. La metafísica de la luz, su importancia simbólica tanto en el pensamiento griego neoplatónico como en el pensamiento cristiano, es un campo de estudio muy fecundo y de gran trascendencia. También es inmensamente complejo. Las corrientes de pensamiento heredadas recibían un nuevo impulso a través de ese nuevo mundo de luz en expansión que entraba por las vidrieras de las iglesias y las ventanas de las casas. La luz y el conocimiento, la verdad y la belleza, se fundían de este modo a través del vidrio. Al afán de explorar se unía el desarrollo de toda suerte de artilugios de vidrio que hacían posible esa exploración, que formaría parte de lo que conocemos como método experimental.

Obviamente, en esta discusión es importante no caer en la trampa de creer que el vidrio siempre condujo a una aproximación de algo que al final resultó ser verdadero. Se cometieron por el camino muchos errores fructíferos. El vidrio influyó sobre todo en la «magia natural», especialmente en la alquimia y la astrología. Junto a la curiosidad y el deseo de entender las leyes divinas de un hombre como Roger Bacon surgieron numerosas personas que aspiraban a hacerse con el poder enriqueciéndose (la alquimia o búsqueda de oro) o prediciendo el futuro (astrología o adivinación). El vidrio era para ellas un poderoso instrumento; retortas, espejos y lentes se desarrollaron en esta agitada tierra de nadie, uno de cuyos grandes magos fue Newton. La generalizada utilización de espejos para la magia, por ejemplo, entre principios del siglo XIV y finales del XVI, aparece ampliamente documentada en la obra de Giordano Bruno y la Tradición Hermética, los rosacruces, Della Porta y John Dee. Los estudios en este campo obligan a revisar esa antigua dicotomía entre ciencia y magia.

Aun así, si intentamos imaginar las civilizaciones islámica y cristiana sin vidrio, no es difícil suponer cómo se habría estancado esa búsqueda de conocimiento fidedigno. A ningún niño le bastará con un interesante libro de ciencias, por muchas asociaciones y teorías que incluya. Hasta que no nos armamos de un tarro de mermelada, una lupa o un tubo de ensayo y un microscopio, los secretos del sorprendente mundo natural se nos escapan. El vidrio por sí solo no basta, evidentemente. Sin la curiosidad y los conocimientos de los antiguos y la civilización asiática poco habría influido el vidrio en el pensamiento. Lo importante es que la curiosidad se combine con los instrumentos. Hubo, por supuesto, muchos otros factores que a menudo se han señalado: las exploraciones cada vez más frecuentes realizadas en las rutas terrestres que llevaban a Asia, las exigencias de la competencia y de la guerra, el crecimiento de ciudades cosmopolitas, la prosperidad económica y el desarrollo de las universidades en Occidente, entre otros. Con todo, en nuestra opinión el vidrio es una condición sine qua non del desarrollo del método experimental que conocemos como ciencia.

La ciencia debe ser verificable, reproducible y refutable. La mera especulación de muchos sistemas de pensamiento no se presta a estas comprobaciones. Platón, Confucio y Buda fundaron sistemas internamente coherentes, cohesionados y cerrados que no podían cuestionarse desde dentro ni impugnarse con «pruebas». Tampoco permitían a un observador informal comprobar sus partes. Los experimentos lógicos no podían repetirse. Ponerlos a prueba con un experimento sería tan absurdo como poner a prueba la Mona Lisa, la catedral de Chartres, el *Mesías* de Haendel o el *Hamlet* de Shakespeare. Las afirmaciones no se podían verificar. Sin embargo, la ciencia moderna depende de la formulación de leyes basadas en experimentos que otros pueden reproducir.

El vidrio desplaza la autoridad de la palabra, del oído, de la mente y de la escritura a la evidencia visual externa. La autoridad de los mayores se pone en tela de juicio; ahora la carga de la prueba recae sobre el ojo de cada uno y la autoridad del individuo escéptico y atormentado por las dudas. Se impone la demostración de que algo sucede. Todo lo que nos dicen se tiene que comprobar con los propios ojos. Lo que los demás ven en un experimento, que puede reproducirse, es más importante que lo que afirma la autoridad (la palabra).

Podría decirse, por lo tanto, que el vidrio contribuyó a que la mente cediera su poder ante el ojo. El empirismo y el positivismo de Occidente, con tanta frecuencia citados, en los que ver es creer, y demostrar es esencial, se convirtieron en los ejes de la nueva cosmología. A medida que mejoraba la tecnología para ver, más autoridad se confería al método experimental. Este método confirmaba la teoría de que Dios había creado un mundo misterioso y poco conocido, pero que a la vez contenía las claves de ciertas normas o principios generales comprensibles que si se descubrían, permitirían seguir indagando. En la mente no había un patrón fijo ni conocido, sino sólo la curiosidad de inspiración divina que se alimentaba de los datos que le proporcionaban los nuevos instrumentos, entre ellos los de vidrio y las matemáticas. Sin fiarse de las elucubraciones mentales, el hombre escudriñaba la naturaleza desde cualquier ángulo, a nivel microscópico y macroscópico, de lado y del revés, con espejos, con lentes, con prismas, en diferentes condiciones de frío o calor, haciendo mezclas en recipientes de vidrio para ver de qué estaba compuesta.

El desplazamiento de la autoridad de los textos y del saber heredado a la autoridad del ojo y la percepción de la persona que observa es uno de los fenómenos más intrigantes de cuantos se produjeron. Podemos preguntarnos hasta qué punto el vidrio confirió autoridad al científico y a su visión. Muchos han hablado de un rechazo definitivo de la filosofía aristotélica. El argumento de que los frutos de una nueva ciencia principalmente basada en el vidrio acabó desbancándola resulta tentador. Para que emergiera la ciencia moderna era necesario desmontar la ciencia griega. No parece descabellado sostener que esta enorme tarea no se habría logrado sin la seguridad que proporcionaba el vidrio. La prueba está en la guerra que los aristotélicos libraron contra lo que consideraron mentiras, engaños y falsedades creadas por el vidrio.

Este fenómeno también puede examinarse a la luz del gran desplazamiento que experimentaron la confianza y el apoyo que se daba al individuo y a la vista, y que muchos llaman Renacimiento, pues el siguiente impulso del conocimiento fidedigno en Occidente no provino de las universidades ni de la filosofía, tampoco de lo que llamaríamos ciencia, sino de las artes y la ingeniería, sobre todo de la arquitectura, la pintura y el dibujo. Nos fijaremos en la influencia del vidrio con relación a las dos principales características del Renacimiento. Una es la comprensión y la representación del mundo natural; la otra es la evolución del concepto de individuo.

4

El vidrio y el Renacimiento

> El ojo es señor de la astrología; él crea la cosmografía; él todas
> las humanas artes guía y rectifica, y empuja al hombre hacia las
> distintas partes del mundo; él es príncipe de las matemáticas, y
> sus ciencias son acertadísimas; ha medido las distancias y mag-
> nitudes de las estrellas; ha descubierto los elementos y sus po-
> siciones; ha predicho las cosas futuras por el curso de las es-
> trellas; él ha engendrado la arquitectura, la perspectiva y la
> divina pintura. ¡Oh, excelentísimo entre todas las restantes co-
> sas creadas por Dios!
>
> Leonardo da Vinci, *Tratado de pintura*

Los hombres no son cámaras. No ven el mundo como es, sino como
esperan que sea; como si llevaran orejeras, por así decirlo, selec-
cionando los fragmentos que son capaces de entender. Esta teoría,
refrendada por los estudios más recientes en psicología de la percepción, sugiere que no vemos el mundo tal cual, sino que lo dis-
torsionamos inconscientemente, o que lo reinterpretamos. La luz
entra en los ojos, pero lo que vemos lo creamos a partir de una mezcla sin sentido de colores y formas. Las imágenes penetran en nuestra retina del revés y tenemos que darles la vuelta, algo que hemos
tenido que aprender a hacer. Mediante otro truco damos sentido
a la imagen que vemos reflejada en el espejo. Estas limitaciones de
la percepción son tan poderosas, están tan fuera de nuestro control,
que hacen que veamos el mundo de la forma que esperamos verlo.
Somos como la famosa mosca de Wittgenstein atrapada en la botella. Nuestra percepción está sesgada. Reinterpretamos el mundo
inmediatamente, antes incluso de que la luz nos entre por los ojos.

A estas limitaciones se suma la de representar lo que vemos para los demás. Para comprobarlo basta con mirar hacia cualquiera de las grandes tradiciones artísticas que imperaron en el mundo hasta el año 1250 d.C. Si examinamos el arte pictórico americano (inca y azteca), vemos que sigue una convención, que es simbólico, bidimensional, que carece de perspectiva. Se acerca más a un dibujo animado o a una forma de escritura que a la pintura realista de la cultura occidental moderna. Lo mismo sucede con otras tradiciones artísticas surgidas fuera de la región euroasiática, en Oceanía y el África subsahariana. Si caemos en la tentación de pensar que se debe a su estadio precivilizatorio (es decir, previo a la aparición de la escritura en la mayoría de estas culturas), quedaremos disuadidos en cuanto nos fijemos en las civilizaciones de la propia región euroasiática. Las primeras civilizaciones de Mesopotamia y Egipto desarrollan, tras la invención de la escritura, el mismo arte plano y estereotipado. El arte alcanzó en Grecia cotas magníficas, sobre todo la escultura, pero la pintura no guarda correspondencia con la naturaleza del arte occidental moderno. La mayor parte del arte romano, pese a que posee representaciones de cierta profundidad, carece asimismo de la perspectiva que se desarrolló en Europa a partir del siglo XIV.

La evolución de otras tradiciones artísticas no occidentales resulta especialmente reveladora, porque, a diferencia de Grecia y Roma o los primeros imperios de Oriente Próximo, no se vinieron abajo. Esto nos permite observar su evolución durante el periodo fundamental comprendido entre la caída de Roma, alrededor del siglo V, y el siglo VIII. En Bizancio se mantuvo casi intacto un arte icónico y no realista que utilizaba símbolos convencionales hasta la caída de Constantinopla, en 1453. En Rusia sucedió lo mismo hasta el siglo XVIII. En las sociedades árabes, pronto dominadas por el islam, las representaciones artísticas no presentan cambios significativos. En India podemos admirar las magníficas ilustraciones que representan el mundo del arte mughal en la corte de Akbar y Shah Jehan, del siglo XVII. Estas pinturas, preciosamente detalladas, se nos muestran planas, sin sombras, carentes de perspectiva y espacio pictórico.

El arte de China y Japón es igual de inquietante. Es exquisito, a menudo de una elaboración delicadísima; aun así, en esencia, si lo comparamos con el arte de Europa occidental posterior al Renacimiento, se asemeja más a las tradiciones que antes hemos visto. Casi siempre carece de la profundidad que da la perspectiva, le falta realismo y los fondos son a menudo impresionistas. Es un arte muy marcado por el estilo. A quien se acerca a él por primera vez le da la impresión de estar viendo una pintura codificada, como si las imágenes fueran símbolos que el observador tiene que descifrar porque representan algo más. Parecen instrumentos mnemotécnicos, capaces de evocar emociones en quien las mira, pero que no indagan en la naturaleza. Esta tradición, diferente y superpuesta a las de las otras zonas mencionadas, se mantiene casi inalterable hasta por lo menos el siglo XVIII y después.

Por lo tanto, hasta el año 1250 la manera en que las civilizaciones representaron y exploraron visualmente el mundo tenía unas características concretas. Todas tendían a utilizar la pintura como anagrama del mundo, casi como si se tratara de un lenguaje escrito en el que el poder emana de la arbitrariedad de los símbolos. Entre el significado (el mundo natural) y el significante (las representaciones artísticas) suele haber un abismo. La luna, una ramita o una hoja contienen inmensidad de significados en las pinturas chinas o japonesas, tantos como en un poema. Las pinturas son como poemas visuales, compuestos siguiendo cánones largamente establecidos, en los que el artista mira hacia su interior apartado del mundo exterior. Contienen analogías simbólicas, con una cosmología en la que la esencia interior y exterior y la forma guardan estrecha relación.

Es probable que gran parte de este simbolismo fuera deliberado; que, como con la escritura alfabética, los artistas hubieran descubierto que cuanto más convencional era el símbolo y mejor cultivado su público, más poder tenían para despertar sus sentimientos. Con todo, parece que existieron otras presiones, lo que resulta evidente si nos volvemos a preguntar cuál es el problema fundamental.

Si nos fijamos bien en la historia de las representaciones de las primeras civilizaciones, veremos que no es tan simple como se sugiere más arriba. En primer lugar, hay indicios de que en algunas representaciones artísticas grecorromanas la perspectiva estaba bastante desarrollada y de que esta técnica se perdió después durante todo un milenio. En segundo lugar, se han hallado representaciones bastante realistas en algunas de las primeras pinturas de las cuevas de Ajanta, en India, que se remontan al siglo V. En tercer lugar, está el caso de China. La famosa serie de dibujos del siglo XI de barcas que remontan el río presenta, por ejemplo, trazos con perspectiva, pero la técnica se interrumpió durante varios siglos. En cuarto y último lugar, encontramos a Giotto en Italia a principios del siglo XIV. Sus ideas apenas se desarrollaron durante prácticamente un siglo, hasta el XV, en que fueron redescubiertas y mejoradas.

Estos ejemplos nos obligan a reflexionar más a fondo sobre la naturaleza de la visión humana. Sabemos que nuestra visión binocular nos hace ver el mundo en perspectiva. Sabemos que los objetos parecen encoger cuanto más nos alejamos de ellos, desaparecer en el horizonte y demás. Los niños lo saben intuitivamente y el *homo sapiens* no habría sobrevivido mucho de haberlo olvidado. Si nos dejan a nuestro aire, también somos capaces de pintar o dibujar el mundo con una perspectiva bastante aceptable, como a veces hacen los niños y como en su día hizo el joven y célebre pastor Giotto.

Demos la vuelta a esta cuestión. La perspectiva y el realismo son naturales y normales, pero las convenciones culturales de una sociedad suelen enseñar a artistas y no artistas que las representaciones que quiere el público son otras. A los artistas se les enseña sistemáticamente a distorsionar el mundo que ven y que representarían tal como es y a encajarlo en un sistema simbólico cargado de un significado más profundo que el del prosaico mundo que captamos con la vista. ¿Qué sentido tiene el arte si se limita a duplicar lo que ven los ojos? Abordar el problema desde este punto de vista nos lleva a preguntarnos cuáles son las presiones culturales que han impedido que la mayoría de tradiciones artísticas se volcaran en la creación de representaciones realistas y con perspectiva. A continuación deberíamos preguntarnos qué sucedió para que esas presiones cedieran tanto y tan deprisa en un periodo de una civilización (la Europa occidental de los siglos XV a XIX), que dominara una forma de arte realista. ¿Qué fue lo que convirtió aquellas muestras aisladas de realismo y perspectiva, como las de los primeros artistas chinos del siglo XI o las de Giotto, en un vasto movimiento que logró transformar completamente la realidad y la visión humanas?

Lo que parece seguro es que tuvo que producirse una considerable convulsión para que una civilización se apartara de lo que para ella se presentaba como el sentido común y una manera obvia de mirar el mundo, y por tanto como la única manera de representarlo. El hecho de que ninguna civilización hubiera podido escapar a ella, como la mosca de la botella, hasta 1250 y de que en gran parte las civilizaciones más avanzadas y artísticas del mundo —la islámica, la china y la japonesa— no llegaran a hacerlo desde dentro nos da una idea de lo arraigada que estaba la tradición. Así pues, ¿qué poderosa fuerza consiguió hacer añicos la botella? O cuando menos, ¿qué hizo que la mosca fuera consciente de las barreras invisibles que limitaban su visión, buscara una forma de compensarlas artificialmente y consiguiera liberarse?

Obviamente, lo primero que debemos hacer es demostrar que efectivamente se produjo una transformación revolucionaria que llevó a percibir y representar el mundo natural con mayor precisión, y ver dónde y cuándo tuvo lugar esta transformación. El caso es de sobra conocido y uno de los episodios más famosos de la historia. Si observamos el arte de Europa occidental de los siglos XI y XII, veremos que era muy similar en esencia a los de las demás tradiciones descritas. Era un arte icónico, principalmente religioso, con una fuerte carga simbólica, una pintura plana y estereotipada que se ceñía a un código. Aunque los contenidos diferían de los del arte islámico o chino, el objetivo —recordar algo a quien observa, presentar una serie de símbolos encadenados, explorar las emociones internas en vez del mundo material— era similar. Estaba muy alejado del naturalismo, de la representación fotográfica del mundo, como todas las demás tradiciones artísticas. Tampoco había indicio claro de que estuviera a punto de surgir algo nuevo. Sin embargo, en los doscientos años que transcurrieron entre 1300 y 1500 se produjo una revolución que cambió la manera de ver y de representar el mundo. Es lo que conocemos como Renacimiento, que hizo que una parte del planeta se desmarcara y emprendiera un camino distinto.

Esta revolución, sobre todo en pintura y arquitectura, con especial hincapié en el espacio pictórico y la perspectiva, ocupa estanterías enteras en las bibliotecas. Muchos creyeron que Giotto dio el primer paso hacia esa transformación, la habilidad de pasar de lo que Gombrich llamaba «arte diagramático» a una pintura con cierta profundidad, pues había «redescubierto el arte de crear ilusión de profundidad sobre una superficie plana». Aunque resultaba revolucionario, Giotto se encontraba a medio camino entre el arte grecorromano anterior y un nuevo realismo que de repente emerge entre 1400 y 1500 aproximadamente. Esta revolución introduce las reglas de la perspectiva, y con ellas toda una serie de nuevas técnicas. Si atendemos al arte y a la arquitectura creados a partir de 1400 en Europa occidental –desde Alberti, Brunelleschi, Masaccio y más tarde Leonardo en el sur hasta Van Eyck, Rogier van der Weyden y Pieter Brueghel en el norte–, vemos cómo el impacto fue enorme. Es como si se hubiera destapado el mundo de golpe, como si se hubiera retirado la sábana que lo cubría. Priman la claridad, el interés por el detalle, la exactitud. La cantidad de información fidedigna que transmiten las imágenes es mucho mayor. Ya no sirven principalmente para recordar o significar; son ventanas mágicas desde las que podemos observar nuevos mundos. Mirar un cuadro es como observar el mundo a través de una potente lente. El mundo aparece a menudo más intenso y más luminoso que el de la realidad, como si lo miráramos a través de una lupa.

¿Por qué y cómo tuvo lugar esta revolucionaria transformación en una sola civilización –que abarcó desde Italia a los Países Bajos– en la que los artistas vieron y representaron fielmente el entorno físico del hombre por primera vez? He aquí de nuevo nuestra sorpresa, porque al parecer carecemos de explicación plausible para uno de los principales cambios en la historia de la humanidad. Desde finales del siglo XIX muchos estudiosos del arte y la cultura renacentistas han documentado la revolución, han descrito su influencia decisiva en la alteración de la perspectiva, en el concepto de espacio y en el trazado fiel de la naturaleza, pero han descartado que el resurgimiento de las ideas clásicas fuera su principal fuente de inspiración. Una vez más nos explican qué pasó, pero no atienden a las causas. Saber cuál es el origen del Renacimiento es sin duda inmensamente complejo, y es probable que debamos remitirnos a una larga concatenación de causas. Nuestro propósito en este libro es simplemente fijarnos en una de esas posibles causas, a menudo olvidada, que es el impulso y el apoyo técnico que el vidrio supuso para reformular la vista.

Todos somos conscientes de la perspectiva, y los niños pueden representar el mundo en perspectiva con bastante realismo antes incluso de que se les enseñe, pero las cosas no son tan sencillas como parecen. Convertir esa conciencia y esa habilidad tan elemental en una representación convincente que cree en otros la ilusión de espacio y forma reales es difícil. Para llegar lejos hay que convertir lo implícito en explícito a conciencia. Ahora bien, que sea difícil no quiere decir que sea imposible que una persona averigüe por sí misma cómo se hace, como demuestran nuestros ejemplos, Giotto incluido. Eso sí: para que este logro se transforme en un movimiento que cambie el mundo, como pasó con el Renacimiento, hace falta más que eso.

Entre otras cosas, es preciso un público que quiera dejarse «engañar» al respecto de que algo que en realidad es bidimensional aparezca en forma tridimensional. Esta condición marca una diferencia trascendental. Platón creía que el realismo, el arte ilusorio, debía prohibirse por engañoso, y por las razones que sean la mayoría de las civilizaciones ha seguido los pasos de Platón. Para los chinos (y los japoneses) la finalidad del arte no era imitar ni retratar la naturaleza externa, sino despertar emociones, por lo que combatían activamente cualquier forma que resultara demasiado realista, que se limitara a reproducir la realidad sin añadir nada nuevo a algo que de cualquier forma ya se podía ver. Van Eyck y Leonardo habrían sido tildados de vulgares imitadores.

Algunos sectores de la tradición islámica prohibían toda representación artística realista de seres vivos aparte de flores y árboles porque la consideraban una blasfema imitación de la sobresaliente obra del creador. El hombre no debía reproducir deidades ni ninguna otra figura, pues con ello usurpaba el poder a Dios. Van Eyck y Leonardo habrían sido, una vez más, una aberración. Hasta los espejos podían ser abominables, porque duplican la vida. Así pues, al abordar la extraordinaria tendencia que se desató en Occidente, conviene no perder de vista el marco cultural más amplio en que se produjo. En otras palabras, debemos tener en cuenta el público y la idea general de la función y los límites de la obra artística.

Un segundo factor es la manera en que los mecenas y sus clientes veían el mundo en su vida diaria. Una cosa es ver el mundo externo tridimensional de forma realista, y otra bien distinta es «leer» una representación bidimensional artificial de ese mundo, de forma que la mente suspende temporalmente su incredulidad y cree estar viendo una porción de la realidad. Los historiadores del arte no se cansan de repetir que al público se le debe enseñar a leer el arte realista (o cualquier otra forma de arte). El público, por su parte, también debe estar dispuesto a dejarse embaucar por el artista. Por lo tanto, para que el arte realista se difundiera tuvieron que converger más o menos estos dos elementos: el artista tiene que educar a su público, moldearlo para que entienda su obra, y al mismo tiempo sus representaciones deben acercarse a la visión que su público tiene de la realidad para que pueda sentirse atraído por su obra desde el primer momento.

Llegados a este punto, nos acercamos a un campo en el que las nuevas aplicaciones del vidrio empezaron a tener su efecto. No es descabellado imaginar que poder observar el mundo natural de forma más realista e intensa, en mejores espejos, mirando por las ventanas, a través de las gafas en los ancianos, decantara la balanza lo suficiente para que se transformara la percepción del mundo. Los mecenas de la burguesía, cuyo papel a la hora de comprar y exhibir el nuevo arte resultaría determinante, encontraban en él sentido y atractivo. Aquella experiencia les hacía sentir como cámaras, y adoraban a los pintores capaces de capturar para ellos el mundo en una bandeja de vidrio. Los lienzos que descansaban en el caballete y después en la pared eran como ventanas móviles con vistas a un mundo imaginario, pantallas mágicas que transportaban al observador a toda clase de espacios imaginados. Eran el antecedente de la televisión.

El tercer factor guarda relación con el desarrollo de la tecnología del encantamiento, o la tecnología ilusionista, como la llaman algunos. Hay que tener en cuenta varios aspectos. Uno de ellos es la reproducibilidad del arte realista. En otras palabras, ¿hasta qué punto es fácil para alguien que no es un genio, como Giotto, engañar al ojo humano para hacerle creer que está viendo un mundo tridimensional sobre una superficie bidimensional? Otro aspecto es la necesidad de contar con una metodología explícita que permita explorar las particularidades más difíciles del realismo y establecer principios que eviten que se pierdan los conocimientos adquiridos. Entre los dibujos chinos del siglo XI o las pinturas indias y las obras de Van Eyck o Leonardo, el camino recorrido es muy largo.

Fijémonos primero en la reproducibilidad. Para que el nuevo arte realista pudiera prosperar sus principios debían explicitarse en una serie de manuales que permitieran difundir las técnicas de los genios entre los que simplemente tenían talento. Alberti, Leonardo y Durero, entre otros, fueron plenamente conscientes de ello. No todo el mundo era un Giotto o un Van Eyck, así que era fundamental que la gente entendiera en detalle cómo había que mirar la naturaleza, cómo había que traducir lo que veían sobre el papel o sobre el lienzo, y cómo debían engañar al ojo del que contemplara su obra para que vieran lo mismo. A tenor de lo que se observa en los manuales, las reglas que debían aprender eran principalmente matemáticas, relacionadas con las propiedades de la luz y la naturaleza del ojo. El artista debía aprender las bases de la geometría y la óptica. ¿Y de dónde salían esas reglas? Los autores de los manuales admitían abiertamente que las habían rescatado de las fuentes griegas a través de los pensadores árabes, y que científicos medievales como Pecham, Grosseteste, Bacon y Vitelio las habían convertido en herramientas válidas. No se sabe hasta qué punto se dieron cuenta de que el vidrio de las lentes y los espejos había constituido una herramienta esencial para aquellos filósofos. Sin embargo, no cabe duda de que en aquel momento habría sido imposible que siguieran una serie de normas si los filósofos no las hubieran desarrollado antes con ayuda del vidrio.

Pasemos a otro aspecto relacionado con la tecnología del encantamiento: la creación de herramientas que mejoraron la exploración de la realidad. Esto se observa claramente en la obra de Alberti y en la de Leonardo, que parten de los antiguos fundamentos de la geometría y de la óptica para crear estrategias que les permitan pintar y edificar de forma distinta. Si bien Giotto y algunos artistas romanos, indios y chinos habían logrado obras de buena factura técnica, el extraordinario realismo y la precisión de los grandes artistas renacentistas exigían una reflexión más profunda sobre las propiedades de la luz y del espacio. Era preciso que supieran mucha geometría y cómo funcionaba el ojo, lo que a su vez dependía del avance científico en geometría y óptica, impulsado por el uso del vidrio en la Europa medieval. Sin este avance, resulta muy difícil pensar que el Renacimiento hubiera sido posible.

Un cuarto aspecto que hay que tener en cuenta son las herramientas con que contaba el artista. La invención de las pinturas al óleo, atribuida a Van Eyck, permitió dar más profundidad e intensidad a la textura y el color, pero en nuestra opinión el desarrollo de instrumentos de vidrio, pese a pasar más inadvertido, fue en ese periodo tan esencial como el de las pinturas. Su importancia se debe a dos motivos. Por un lado, los instrumentos influyeron en la mirada, la modificaron, la corrigieron y la ampliaron. El más significativo en este sentido fue el espejo. Como se ha dicho muchas veces, tendemos a acostumbrarnos demasiado al mundo que nos rodea. El espejo, al volver el mundo del revés, arroja sobre él una luz nueva y curiosamente lo intensifica. Las personas, y en especial los artistas, vemos en el espejo un mundo distinto.

En el siglo XV Filarete escribió a propósito del descubrimiento de las leyes de la perspectiva por Brunelleschi:

Si desea representar un objeto de una forma distinta y más sencilla, hágase con un espejo y sosténgalo frente al objeto en cuestión. Mire en el espejo y distinguirá mejor el contorno del objeto, y todo lo que esté más cerca o más lejos se le aparecerá escorzado. Creo, sinceramente, que así es como descubrió Pippo de Ser Brunellesco esta perspectiva, que no se había utilizado hasta entonces.

El papel del espejo como madre de la perspectiva del Renacimiento también ha sido objeto de estudio para Samuel Edgerton en *The Renaissance Rediscovery of Linear Perspective*. Edgerton rastrea la convergencia de ideas procedentes de las filosofías griega y árabe, y de la óptica, la geometría y la cartografía medievales, y que llevaron a aquel azaroso momento de 1425 en que Brunelleschi hizo su gran descubrimiento de las leyes de la perspectiva en la Piazza del Duomo de Florencia. Los espejos llevaban siglos decorando los estudios de los artistas; Giotto, por ejemplo, había pintado «con ayuda de espejos». Sin embargo, el descubrimiento de Brunelleschi marcó un antes y un después. Sin lo que Edgerton calculó que debió de ser un espejo plano de treinta centímetros cuadrados, el cambio más importante de los últimos mil años en la representación de la naturaleza por medios artísticos no habría sido posible, según el mismo Edgerton.

Leonardo se refería al espejo como «maestro de pintores». Escribió que «en numerosas ocasiones, los pintores se desesperan imitando del natural, por ver que sus pinturas no tienen aquel relieve y aquella vivacidad que tienen las cosas vistas en el espejo». No es casual que el espejo sea el elemento central de dos famosísimos cuadros: *El matrimonio de los Arnolfini*, de Van Eyck, y *Las meninas*, de Velázquez. El espejo permitía distorsionar el mundo y convertirlo en motivo de especulación. Ayudaba al artista a mejorar su trabajo, según recomendaba Leonardo:

Cuando quieras comprobar si tu pintura se corresponde exactamente con el cuerpo que copiaste del natural, toma un espejo y haz que en él se refleje la cosa real. Compara entonces la imagen reflejada con tu pintura y considera si el sujeto de ambas imágenes guarda en ellas la debida conformidad.

Y a esto añade:

Al espejo (un espejo plano, sin duda) has de tener por tu maestro, porque sobre su superficie mucho se asemejan los cuerpos a la pintura. Así, tú puedes ver cómo en la pintura ejecutada sobre un plano las cosas parecen en relieve; pues bien, esto mismo ocurre sobre un espejo plano.

El objetivo es pintar de manera que la pintura parezca «una escena natural reflejada en un gran espejo».

Por último, el espejo ofreció al artista un tercer ojo para que pudiera verse a sí mismo. Sin espejos no se habrían pintado los grandes autorretratos, que culminaron con la serie de Rembrandt.

Puede que los espejos potencien la visión humana también en otros sentidos. Ver es un proceso dinámico. Si fijamos la vista en un objeto durante un buen rato, dejamos de verlo. Para seguir viéndolo debemos cambiar el ángulo de visión y pasear la mirada por el objeto. Los espejos nos ayudan a ver con nitidez, pues aumentan el movimiento que se proyecta hacia el ojo, tanto si lo sostenemos en la mano como si somos nosotros los que nos movemos al mirarnos en él. Además, muchas veces se encuentran en habitaciones oscuras, en las que reflejan la luminosidad del mundo exterior. El ojo ha compensado la oscuridad de alrededor y ve el mundo en el espejo con mucha más intensidad, como cuando se mira el televisor en una habitación oscura.

El segundo motivo por el que el vidrio es importante es porque permite enmarcar y fijar la realidad. El protagonista aquí no es el espejo, sino las ventanas. Cuando decimos que un cuadro es una ventana que se abre a otra realidad, la palabra «ventana» no es una simple metáfora. Ese marco mágico a través del cual se observa el espacio tridimensional empezó a formar cada vez más parte de la experiencia diaria de los europeos del siglo XIV a medida que se mejoraba y extendía la fabricación de ventanas de vidrio. En una cultura que utilizara papel aceitado o papel de morera, como la china o la japonesa, la idea de sentarse dentro de un edificio y observar a través de una abertura del tamaño de un cuadro una escena enmarcada de la realidad apenas podía prosperar. O se eliminaba la pared y se colocaba un *shoji* o biombo de papel, con lo que uno se encontraba de hecho en el exterior, o se quedaba uno dentro separado del exterior por la blancura de la pared. En cambio, para los europeos las casas pasaron a ser como el objetivo de una cámara o un cosmorama; podían sentarse en la penumbra y contemplar los intensos colores del exterior. O podían, como en los interiores holandeses, avistar las salas bañadas por la luz que entraba por las ventanas. Fuera su influencia en un sentido o en otro −Carla Gottlieb los analiza magistralmente en *The Window in Art*−, las ventanas de vidrio y el Renacimiento parecen tener un profundo nexo en común.

Los plafones de vidrio de las ventanas tuvieron otro efecto. El gran desarrollo de la perspectiva en el siglo XV, del que siempre se nos dice que supuso un paso fundamental y sin precedentes, se dio cuando la gente empezó a ver la pintura como si fuera el plafón de una ventana. Leonardo se refirió en un famoso pasaje a la sección plana transparente del cono visual que bisecaba la visión. Lo resumió así:

La perspectiva no es otra cosa que ver un lugar a través de un vidrio plano y perfectamente traslúcido sobre cuya superficie han sido dibujados todos los cuerpos que están del otro lado del cristal. Estos objetos pueden ser conducidos hasta el punto del ojo por medio de pirámides que se cortan en dicho vidrio.

Esta idea es tan importante, que vale la pena añadir toda la explicación:

Y, pintores, sabed que cuando contorneáis el dibujo sobre una superficie y los coloreáis, el efecto que debéis buscar es que en una sola superficie se representen muchas otras, como si esa superficie fuese tan transparente como el vidrio, y la pirámide visual penetrase en ella desde cierta distancia, manteniendo en una posición fija tanto el rayo céntrico como los puntos de luz, distribuidos adecuadamente a su alrededor [...] Así, al observador le parecerá estar viendo una intersección concreta de la pirámide. Una pintura será, pues, la intersección de una pirámide visual a una distancia dada, con un centro fijo y una distribución concreta de los puntos de luz, representados por el arte mediante líneas y colores sobre una superficie.

En este pasaje Leonardo da Vinci no sólo definía lo que era una pintura en perspectiva, sino que además describía una técnica. Con una placa de vidrio uno podía ahora calcular las dimensiones y los ángulos exactos para lograr la perspectiva correcta, como hicieron Alberti, Leonardo y otros. Si se necesitaba ayuda para poner en práctica esta nueva técnica, también se podía pintar o dibujar el boceto en el vidrio y luego trasladar las marcas al papel respetando las medidas. A veces se utilizaba el famoso invento de Alberti, el «velo» (de hilo), si bien se describía explícitamente como una especie de ventana sin vidrio. Leonardo recomendaba utilizar el vidrio de varias maneras. Por ejemplo:

Toma un vidrio del tamaño de medio folio real y asegúralo bien ante tus ojos, es decir, entre tus ojos y lo que vas a retratar; colócate después de manera que tus ojos queden a dos tercios de brazo del vidrio y sujeta tu cabeza con un instrumento de manera que no puedas moverla. Cierra o cubre entonces un ojo y con el pincel o con el lápiz dibuja sobre el cristal lo que en él aparece, calcándolo luego por espolvoreamiento sobre un buen papel; píntalo si te agrada y aprovecha después la perspectiva.

Así pues, el plafón de vidrio plano de las ventanas era esencial, tanto para solucionar problemas de perspectiva como para ayudar a los menos habilidosos a dibujar excelentes perspectivas. No podemos por menos que preguntarnos una vez más si se habría llegado a este punto de haber estado cubiertas las ventanas de grueso papel blanco.

Se podría decir que, aunque todos veamos el mundo en perspectiva, resulta muy difícil descifrar lo que vemos sólo mirando el objeto en cuestión. Del mismo modo que no miramos directamente el sol, sino su reflejo, y he aquí la ironía, debemos mirar a través de un medio artificial como el vidrio para poder ver el mundo tal y como es, como descubrió Alicia cuando entró en el espejo. Si aceptamos esto como cierto, el vidrio fue tan importante para abrirnos los ojos y mostrarnos el mundo como realmente es, para que lo viéramos con claridad y lo representáramos con precisión, como para mejorar la visión en otras ciencias mediante instrumentos como el espejo, el prisma, las lentes y más tarde el telescopio y el microscopio.

En todos estos casos el ojo humano, débil y confundido por la interpretación del cerebro, es incapaz de ver con nitidez. No discierne los componentes de la luz ni cómo se curva; no ve los objetos demasiado pequeños ni los demasiado lejanos, aunque los tenga delante. En última instancia el ojo ve el mundo oscurecido a través de un vidrio; dicho de otro modo, el ojo es un vidrio con su propia lente deformante y un encuadre interpretativo, como si todos los hombres padeciéramos una distorsión crónica, como la miopía, pero una distorsión que nos impidiera ver y sobre todo representar el mundo natural con precisión y claridad. El hombre solía ver la naturaleza de forma simbólica, como un conjunto de símbolos, no como «realmente» era, sin las interferencias de la mente. Paradójicamente, lo que el vidrio consiguió fue eliminar o contrarrestar ese vidrio oscuro que empañaba la vista humana y las distorsiones de la mente, y permitir que entrara más luz.

Por mucho talento que tuviera el artista, si miraba y pintaba la naturaleza solía acabar viendo y pintando símbolos. Así les sucedió a casi todos hasta Giotto. Sin embargo, cuando se forzaba al artista a seguir la naturaleza, a pintarla, copiarla y fotografiarla, por así decirlo, exactamente a partir de lo que veía sobre un plafón de vidrio, o a pintar el reflejo de un espejo, a copiar en vez de pintar, en definitiva, el resultado era milagrosamente mucho más preciso que el de cualquier cuadro pintado directamente a partir de la naturaleza. Y una vez hecho, se podía comprobar por qué. Se podían establecer las reglas artificiales que inducían al ojo humano a ver la imagen representada sobre una superficie bidimensional como un reflejo o una fotografía tridimensional de la realidad.

Si esta relación entre los avances del vidrio y el nuevo arte realista es correcta, no sorprende descubrir que en el siglo XV Italia encabezara esta nueva mirada. La industria vidriera veneciana era famosa en todo el mundo; las pequeñas cortes competían entre sí y dilapidaban riquezas para comprar vidrio. Sólo faltaba que entraran en juego la suerte y el azar, como cuando Brunelleschi descubrió por accidente que el espejo, creado en su origen con otra finalidad, servía también para obtener una imagen de cómo quedaría un nuevo edificio in situ. La prosperidad económica y el desarrollo de la industria vidriera en el norte de Alemania, Francia y los Países Bajos permitieron que la nueva mirada encontrara en estos países su segundo hogar.

Hace tiempo el historiador Burckhardt apuntó que un elemento fundamental del Renacimiento había sido la nueva manera de entender el individuo, que sólo se dio en Occidente y a partir del siglo XIV. Aunque muchos han discutido después esta fecha argumentando que la concepción más elevada del individuo se remonta probablemente al siglo XIII e incluso al XII, se suele aceptar que la tendencia a centrarse en el individuo aumentó y alcanzó su máximo apogeo a partir del siglo XV. Lo que parece innegable es que tuvo lugar un gran cambio. Además hay que buscar las raíces del fenómeno en Europa occidental, como ha confirmado recientemente la antropología. ¿Pudo esto guardar también relación con el vidrio?

Sería sin duda absurdo creer que hubo una sola causa, y es fácil admitir la fuerza de muchas de las explicaciones que se han dado sobre la reorientación de la mirada hacia el individuo. Una de las más importantes es la religión. En términos muy generales, se ha sugerido que el concepto de alma única propuesta por la tradición judeocristiana potenció el individualismo. Según otros, la clave de que aumentara el individualismo hay que buscarla en los conceptos de pecado y responsabilidad individual.

Las causas podrían ser varias. Por un lado, la posibilidad de elegir y el libre albedrío defendidos por una religión nacida de la opresión y fundada sobre las enseñanzas individualistas de Cristo, como la de seguir sus pasos y renunciar a la propia familia. La relación entre la posibilidad de elección y el individualismo cae por su propio peso. El occidental individualista es soberano para elegir, decidir qué hacer, qué tener, qué ser y qué creer. Otra causa podría ser la práctica introducida por la iglesia católica para afrontar el pecado, esa forma de introspección a la que llamamos confesión, en la que el individuo se examina a sí mismo y reflexiona sobre su propia personalidad individual. A pesar de todo, aunque este paso parece imponerse como necesario, no todo sucedió al mismo tiempo ni de la misma manera en toda la cristiandad; la iglesia ortodoxa del este, por ejemplo, era mucho menos individualista. Esto ha llevado a los académicos a buscar otras causas.

Algunos han sugerido que la recuperación de las ideas clásicas actuó como catalizador. Otros han argumentado que la expansión de la economía de mercado, en particular de las transacciones monetarias, acentuó la separación entre el individuo y el colectivo. Argumentan que el dinero, el individualismo y la moralidad de la economía de mercado guardan una estrecha relación. Aun así, y por mucho que sumemos a estos factores el aumento del poder del gobierno republicano y de la clase media en Italia y en los Países Bajos, la explicación de una de las principales transformaciones de la historia de la humanidad sigue sin ser completamente satisfactoria. Ninguna de las explicaciones ofrecidas hasta ahora parece ahondar lo suficiente en el contexto psicológico en el que se produjeron los cambios. Es inevitable sentir que tuvo que haber algún factor más, un factor que, sin explicar el cambio en sí, hiciera las veces de catalizador.

Algunos historiadores sostienen que ese factor es el desarrollo de buenos espejos de vidrio, que proliferaron justo en la época y en el lugar en que tuvieron lugar los cambios y que pudieron desencadenarlos transformando la imagen que las personas tenían de sí mismas. Algunos investigadores que han analizado los relatos autobiográficos escritos durante el Renacimiento han señalado que este «descubrimiento del yo» estaba relacionado con los espejos. También dicen que artistas renacentistas como Durero exploraron el interior del hombre utilizando espejos para pintar. Esta idea es fervientemente defendida por Lewis Mumford, que cita los autorretratos introspectivos de Rembrandt como la máxima expresión de la introspección artística.

La coincidencia en el tiempo de este nexo causal es correcta: los buenos espejos se desarrollaron casi al mismo ritmo que el nuevo individualismo, entre los siglos XIII y XVI. También lo es la coincidencia geográfica: los epicentros del individualismo renacentista en la pintura y en otras formas artísticas se encontraban en Italia y los Países Bajos, las dos zonas en las que la fabricación y la utilización de espejos estaba más avanzada. La motivación psicológica resulta plausible. El individuo empezó a verse de una forma distinta que lo separaba de la multitud y que le permitía mirar con mayor detenimiento hacia su interior. La evolución puede observarse en la obra de varios grandes artistas. No obstante, como con todas las causas supuestas, seguimos sin tener certezas. Muchas culturas poseen algún tipo de espejos. ¿Cómo los utilizan? ¿Es comparable la nitidez de los espejos de metal con la de los espejos de vidrio? Estas y otras preguntas requieren respuesta.

Para responder a la pregunta sobre la utilización de los espejos es muy importante averiguar cuál era su función. En Occidente se utilizaban en buena medida para ver a la persona, lo cual es a su vez causa y consecuencia del aumento del individualismo. En China y Japón, y tal vez en otras civilizaciones, tenían diferentes finalidades. Vale la pena que nos detengamos en un ejemplo para observar las diferencias de los espejos en las diversas culturas.

Varios expertos japoneses y de otros países coinciden en señalar que en Japón se daba tradicionalmente a los espejos usos muy diferentes de los de Occidente. Los japoneses iban más allá de la imagen reflejada en el espejo, la imagen del «yo observador». El espejo no estaba al servicio de la vanidad ni de la autoevaluación, sino de la contemplación, como puede observarse en los santuarios sintoístas, en los que el espejo deviene el objeto central. El individuo no busca en el espejo el retrato completo de la persona física y social que se mira en él, sino que quiere trascender lo físico para mirar en el interior, en el yo místico. Los japoneses han intentado explicar que, mientras que los occidentales se miran en el espejo por una mezcla de narcisismo e individualismo, ellos miran a través de él. Para analizar su personalidad los japoneses se miran en el espejo de la sociedad, reflejo de las consecuencias que tienen sus acciones y sus palabras sobre los demás.

Así pues, las diferencias afectaban tanto al material como al uso. En Japón los espejos se consideraban objetos sagrados y se conservaban en los santuarios. Al parecer, también se les daban otros usos, sobre todo mirarse en ellos cuando uno se acicalaba, pero no se colgaban en las paredes de las habitaciones. El viajero Thunberg comentó a finales del siglo XVIII: «Los espejos no decoran las paredes, aunque su uso en el lavabo está muy extendido». También observó que entre los enseres de la casa no había «espejos donde mirarse». Explicaba que no había espejos de vidrio porque todos eran de acero. Parece que esto se debía a que la extraordinaria habilidad de los orfebres japoneses les permitía fabricar espejos de acero de excelente calidad. Puede que la utilización de acero o bronce limitara el tamaño del espejo, y en consecuencia el efecto que causaba en el espectador. Es posible que el hecho de que tendieran a ser convexos constriñera lo que se veía en él; en las casas se empleaban básicamente para arreglarse el pelo, depilarse las cejas o ennegrecerse los dientes.

Los espejos metálicos japoneses reflejan sólo un veinte por ciento de la luz que reciben y son ligeramente coloreados. Dada la complejidad del ojo y su capacidad para valorar la perfección visual, podríamos decir que entre un espejo de vidrio con fondo de plata de calidad excelente, como los que se empezaron a fabricar en Europa a partir de los siglos XIII y XIV, y un espejo metálico de calidad razonable la diferencia es no sólo cuestión de grado, sino también de base. Gracias a la variación sutil del artilugio pudo cambiar la percepción de la vida.

Por lo tanto, podríamos decir que eso a lo que llamamos «espejo» estimuló la imaginación y el pensamiento en la mayoría de las culturas, pero no propició la observación minuciosa de lo que se reflejaba. El espejo de vidrio occidental mostraba algo que parecía real, pese a que de hecho invertía casi mágicamente las cosas, representaba espacios tridimensionales en superficies planas e incitaba al ojo a ver en primer y segundo plano.

No cabe duda de que los espejos son extraordinarios, y no sería insensato creer que la evolución del espejo de vidrio en una civilización concreta, además de transfigurar el arte, algo fácilmente comprobable, transformó poco a poco la percepción que las personas tenían de sí mismas. Tenemos sin duda una «afinidad electiva»: el individualismo y los espejos de calidad crecieron de la mano. Aun así, no podemos establecer una relación causal directa, necesaria y suficiente entre ambos. Los espejos de vidrio no pudieron engendrar por sí mismos la enorme transformación que llevó a lo que conocemos como individualismo renacentista. Sin embargo, es posible que fueran una de las causas que la favorecieron, sin las cuales la abstracción que permitió pasar del grupo al individuo no habría seguido los mismos derroteros.

Por consiguiente, tenemos tres grandes maneras de relacionar el vidrio con el aumento del conocimiento y la representación fidedignos entre los siglos XIV y XVI. Primero, a través de la influencia de la óptica y la geometría medievales en el arte en perspectiva de los arquitectos y los pintores del siglo XV. Segundo, a través de la influencia del vidrio, en particular de los espejos, las ventanas y los plafones de vidrio, en la tecnología del encantamiento y la ilusión. Tercero, a través del efecto de los espejos en la concepción y la representación del individuo.

Para acabar intentaremos valorar el peso de cada una de estas influencias planteándonos una serie de interrogantes. ¿Es posible dibujar una perspectiva razonable sin que el vidrio óptico (espejos, lentes, ventanas) esté extendido en una cultura? La respuesta es sí, es posible, aunque para hacerlo bien se requiere mucha habilidad. ¿Puede una forma realista y con perspectiva de representar el mundo dominar una cultura sin que esté extendido el vidrio óptico? Lo único que podemos decir es que no se conoce ningún caso en que haya sucedido y que hay motivos para creer que es poco probable. ¿Lleva forzosamente la profusión de instrumentos ópticos, espejos, lentes, prismas y plafones de vidrio al desarrollo de un arte realista y con perspectiva? La respuesta es que probablemente no. No tiene por qué. El caso islámico es un ejemplo de que puede no suceder, si bien es cierto que en los países islámicos no

contaban con todos estos instrumentos. Si se institucionaliza el te-
mor a los iconos, incluidas las imágenes de los espejos, o incluso si
se atribuye otro papel al arte, puede que nunca se siga ese camino.
El arte tradicional de India, China y Japón se mantuvo vigente aun
después de que se importaran de Occidente las nuevas tecnologías
de vidrio y el arte en perspectiva, de modo que en una tradición
artística influyen muchos otros aspectos aparte del vidrio. El vidrio no es causa suficiente.

Con todo, podríamos afirmar que sí es una causa imprescindible.
Resulta difícil imaginar que el arte del Renacimiento hubiera alcanzado las cotas de realismo que encontramos en Van Eyck, Leonardo, Durero y Rembrandt en una civilización que no disfrutara
del vidrio. Para empezar, la geometría y el dominio de la óptica que
sirvió de base a sus obras, como claramente se revela en sus escritos, no habrían estado a su alcance. La geometría y la óptica bebían
de la experimentación y la filosofía de la Europa medieval, influidas por el vidrio. Por otro lado, las averiguaciones de Van Eyck y
Brunelleschi en la Edad Media precisaban a menudo de comprobaciones que se hacían mediante experimentos en los que se utilizaba el vidrio: espejos, lentes y plafones de vidrio. De este modo
se mantenía viva la rueda del conocimiento: la innovación para
obtener mejores artilugios y el uso de esos artilugios para saber más.
De haberse detenido, si Europa se hubiera encontrado sin vidrio,
como China y Japón, o como el mundo islámico a partir de 1400,
cuesta imaginar que se hubiera producido la vasta revolución que
conocemos como Renacimiento. El desarrollo del vidrio no causó
directamente el Renacimiento, pero sin él las cosas habrían sido muy
distintas.

Todo esto fue, por supuesto, fruto de un gran accidente. Ni los buenos espejos, ni los plafones de vidrio de calidad, ni las lentes se di-
señaron originariamente para apartar a una civilización de la cosmología que había heredado, para incentivar el individualismo, el
destronamiento de Dios, la disociación de la sensibilidad ni un nue-

vo conocimiento más fidedigno del mundo «real». Surgieron como juguetes al servicio de la vanidad y la comodidad, como la porcelana fina. Si los europeos se hubieran dedicado a desentrañar los secretos de la porcelana o hubieran podido cubrir sus ventanas con papel de morera, es probable que nada de todo esto hubiera sucedido. Seguramente no habrían existido ni Leonardo, ni el cambio de mirada del Renacimiento, ni la revolución científica clásica. Las imprevistas consecuencias de aquella extraña sustancia transparente que desviaba la luz, el vidrio, proporcionó a la humanidad una nueva mirada, y lo que vio con esa mirada transformó el mundo.

No sólo transformó el mundo en sí mismo, sino que constituyó un eslabón en la cadena que llevaría a la revolución científica del siglo XVII. Todos los elementos que componen la esencia de la revolución científica —la minuciosidad, la exactitud en la recogida de datos, el intento de comprender la naturaleza y las relaciones entre las cosas, la curiosidad del ser humano por realizar «experimentos» para desentrañar la relación entre el hombre y la naturaleza— están presentes en el Renacimiento. El ejemplo más evidente lo encontramos en el propio Leonardo da Vinci. Si nos preguntamos si un cambio así no favorecería una observación más «fidedigna» de la naturaleza, casi nada respondería mejor a nuestra pregunta que comparar una pintura o un boceto de Leonardo con una miniatura mughal o una pintura japonesa del siglo XV.

Las representaciones de Leonardo se esfuerzan en captar la esencia de las leyes que la naturaleza oculta; son «experimentos» no muy distintos de los de Newton o Boyle. En sus dibujos más logrados ampliaba las fronteras de la anatomía, la física y la óptica. Al mismo tiempo, el afán de Leonardo por representar la naturaleza tal como era, y no como falsamente se nos presenta, le obligó a adentrarse en todas las ramas del conocimiento. Necesitaba saber anatomía, botánica, geografía, hidráulica, mecánica y un largo etcétera para poder pintar correctamente. Si la ciencia es la ampliación del conocimiento fidedigno, los avances en la pintura y la arquitectura del siglo XV supusieron en muchos sentidos un paso adelante tan

importante como el de la más conocida revolución científica del siglo XVII. Sin esos avances la obra de Galileo, Hooke, Boyle y Newton resultaría inconcebible. Se habían construido los cimientos necesarios, pero sólo en Europa occidental. En otras partes del mundo
el vidrio, los espejos y más tarde las lentes no consiguieron engañar
al ojo humano para que viera las cosas de forma más nítida.

5

El vidrio y la ciencia moderna

La naturaleza y las leyes naturales se ocultaban en la noche.
Dios dijo: «Que nazca Newton», y se hizo la luz.

Alexander Pope, epitafio dedicado a Isaac Newton
en la abadía de Westminster

Como hemos visto, los cimientos de la revolución científica clásica se habían sentado a finales del siglo XVI. Con la ayuda de instrumentos de vidrio estaban ya presentes el método experimental, la precisión, la búsqueda del conocimiento como actividad valiosa, la abstracción y la estructuración, la atención en la mirada y muchas otras características importantes. Este capítulo se centrará casi en exclusiva en el periodo en el que se fabricaron los instrumentos de vidrio de naturaleza más intensa y explícitamente científica: los microscopios, los telescopios, los barómetros, los termómetros, las cámaras de vacío y un largo etcétera. En una primera aproximación a este mundo científico en el que el vidrio se hacía cada vez más omnipresente no podemos pasar por alto la obra del hombre que sentó las bases de la nueva ciencia experimental, Francis Bacon.

Bacon imaginó cómo serían los laboratorios y el material que necesitarían los científicos para responder a los misterios de la naturaleza en su *Nueva Atlántida*, escrita pocos años después de que se inventaran el microscopio y el telescopio, a principios del siglo XVII. Describió los instrumentos de vidrio que se necesitarían para generar conocimiento fidedigno. Hablando por boca de un representante de la Casa Salomon, escribió lo siguiente sobre el análisis de la luz (presagiando cómo sería el trabajo en óptica de Newton):

Tenemos también casas-perspectiva, donde reproducimos todas las luces y radiaciones, y todos los colores; de cosas incoloras y transparentes podemos reproduciros todos los colores, no en arco iris, como ocurre con las gemas y los prismas, sino cada uno por separado. Reproducimos también las multiplicaciones de la luz, a la que transportamos a gran distancia y la hacemos tan potente, que se pueden discernir pequeños puntos y líneas. También todas las coloraciones de la luz; todas las ilusiones y engaños de la vista en figuras, magnitudes, mociones, colores; todos los efectos de las sombras. Hallamos también diversos medios, todavía desconocidos para vosotros, de producir luz originalmente a partir de diversos cuerpos.

Hacemos arcos iris artificiales, halos y círculos alrededor de la luz. Reproducimos todas las maneras de reflexiones, refracciones y multiplicaciones de los rayos visuales de los objetos.

Sobre los telescopios, las gafas y los microscopios, Bacon explicaba lo siguiente:

Procuramos medios para ver objetos desde lejos, como en los cielos o lugares remotos, y reproducimos cosas cercanas como si estuvieran a lo lejos y cosas a lo lejos como cercanas, fingiendo las distancias. Tenemos también ayudas para la vista muy por encima de los anteojos y las lentes al uso. Tenemos también lentes y medios para ver pequeños y diminutos cuerpos perfecta y distintamente, como las formas y los colores de pequeñas moscas y gusanos, granos y manchas en las gemas que de otro modo no pueden verse; observaciones en la orina y la sangre que de otra manera son imposibles de ver.

La última aplicación alude al trabajo de Harvey sobre la circulación de la sangre y a los avances en la búsqueda de las causas de la enfermedad. No sorprende que entre las estatuas de los grandes exploradores e inventores descritas en la *Nueva Atlántida* se encuentre la del «inventor del vidrio». Tampoco sorprende que muchos de los experimentos descritos por Bacon en otras obras empezaran con la instrucción «utilice vidrio para...».

Bacon se dio cuenta de hasta qué punto el vidrio se había convertido en una herramienta básica de pensamiento, en un instrumento para conocer y explorar las leyes de la naturaleza. Esta idea se da muchas veces por sentada y se medio olvida, pero salta a la vista si pensamos en cómo el microscopio y el telescopio cambiaron la percepción que tenemos de lo que nuestra vista no alcanza a ver: el microcosmos y el macrocosmos. Un sinfín de microorganismos que condicionan la vida humana habían dejado de ser invisibles. De pronto se podían ver de cerca los distantes y diminutos cuerpos celestes. Esta transformación de la dimensión espacial del mundo nos parece ahora tan normal, que la damos por hecha. Sólo en momentos excepcionales, como cuando mostramos a un grupo de aldeanos de las montañas del Nepal los microscópicos seres vivos que flotan en el agua que beben a través de unas lentes, recuperamos esa sensación de admiración y sorpresa que muchos debieron de sentir cuando se descubrieron el microscopio y el telescopio.

Esto nos recuerda que los instrumentos de vidrio de precisión tuvieron también repercusión a muchos otros niveles. La vista es el sentido más poderoso del hombre. Al aparecer nuevos instrumentos que permitían ver un mundo invisible de diminutos animalillos o contemplar estrellas del firmamento hasta entonces vedadas al ojo, el vidrio no sólo allanó el camino para que se produjeran descubrimientos científicos, sino que llevó a la sociedad a creer que en el mundo había verdades más profundas a la espera de ser descubiertas. Se había hallado la llave que permitiría acceder a los secretos del conocimiento, desde los más tangibles hasta los mejor guardados, y desafiar las ideas establecidas. Lo obvio dejaba de ser necesariamente cierto. Era posible analizar vínculos ocultos y fuerzas enterradas.

A este fenómeno, incluida una nueva concepción del espacio, contribuyeron otros instrumentos de vidrio, en particular las retortas, los tubos de ensayo, las cámaras de vacío y otros instrumentos aislantes. El vidrio, como sabemos, posee dos propiedades únicas. Por un lado, su transparencia permite al científico ver a través de él y descubrir qué está pasando; por otro, resiste las reacciones químicas de casi todos los elementos y compuestos químicos. Tiene la gran ventaja de permanecer neutral al experimento en sí. Pero sus virtudes no se acaban aquí. El vidrio es fácil de limpiar, sellar y moldear según convenga a nuestro experimento. Es tan resistente, que cumple su función aun en aparatos muy finos, y soporta la presión de la atmósfera cuando se crea en su interior un vacío. Además aguanta bien el calor y sirve como aislante. Reúne propiedades que no encontramos juntas en ningún otro material. ¿Adónde habría llegado la ciencia, como preguntó Lewis Mumford, de no haber existido el matraz de destilación, el tubo de ensayo, el barómetro, el termómetro, las lentes y el portaobjetos del microscopio, la luz eléctrica, el tubo de rayos X, el audión y el tubo de rayos catódicos? Sin las pruebas de luz realizadas con lentes y prismas no habrían podido llevarse a cabo los principales experimentos en el campo de la física de Galileo, Kepler y Newton en el siglo XVII. No es una coincidencia que en la lista de quienes se dedicaron a tallar lentes figuren tantos nombres ilustres de la revolución científica.

El tallado del vidrio para instrumentos es uno de los oficios que más precisión requieren del mundo. Su exactitud superaba con creces la de cualquier otro oficio desempeñado en Occidente. ¿Es casual que tantos grandes científicos (Spinoza, Descartes, Hooke, Huygens, Newton, Van Leeuwenhoek) se dedicaran también a tallar vidrio? Incluso los que no tallaban vidrio ellos mismos sabían, por su experiencia con instrumentos de vidrio de precisión, la enorme diferencia que podía suponer una mínima variación de la superficie, como sucedía con el tiempo en los relojes mecánicos. La precisión, el rigor, la exactitud y la concentración en problemas concretos deben mucho a los espejos, las lentes, los prismas y las gafas.

Las lentes son sólo una parte de las numerosas piezas ópticas que trajeron consigo la mejora de la calidad del vidrio. Los espejos también fueron cruciales, no sólo por su importancia práctica en las mediciones y la navegación, sino por su empleo en otros instrumentos, como los telescopios, y su utilidad en los experimentos ópticos. El desarrollo de los prismas tuvo inmensas consecuencias en los experimentos sobre la luz de Kepler, Descartes, Newton y otros. Sin estos instrumentos de vidrio poco se habría descubierto sobre las propiedades y la naturaleza de la luz. Y lo que se descubrió revirtió a su vez en la mejora de las lentes, con las que pudieron fabricarse más y mejores microscopios y telescopios, así como el gran instrumento del conocimiento y la prolongación del ojo: la cámara. El vidrio se convirtió claramente en uno de los materiales más decisivos del desarrollo de la ciencia y la tecnología, y desde entonces nunca ha dejado de desempeñar este papel motor.

Determinar quién descubrió qué, sobre todo cuando se trata de instrumentos como el telescopio o el microscopio, carece de importancia, y en cualquier caso sigue siendo aún hoy objeto de controversia. Lo que nos interesa saber aquí es que tanto el microscopio como el telescopio se habían inventado ya en el primer cuarto del siglo XVII. Cualesquiera que fueran las fechas exactas, no cabe duda de que el fructífero intercambio entre los diferentes centros de experimentación y desarrollo tecnológico de Italia, Países Bajos, Inglaterra y otros países provocó la rápida aparición de nuevas tecnologías que empleaban el vidrio, y de que los nuevos conocimientos que permitían mejorar los instrumentos llevaban a seguir avanzando en el campo de la técnica.

Para entender cómo influyó ese intercambio entre los centros de conocimiento y de artesanía de toda Europa en los avances que se generaron en aquella época tenemos un ejemplo muy ilustrativo: el decisivo invento del microscopio. La historia de este instrumento muestra también cómo un mismo artilugio pudo nutrirse de las ideas de muchas cabezas pensantes y en qué medida el desarrollo del vidrio y el del conocimiento fidedigno avanzaban en paralelo. El invento se remonta a los Países Bajos en los primeros años del siglo XVII. Al principio su desarrollo fue lento, pero un siglo después se habían desentrañado varios misterios reveladores sobre la naturaleza, y gracias al interés que habían despertado estaba asegurada la continuidad de los descubrimientos y de las investigaciones. A mediados del siglo XVII se había podido contemplar en Bolonia por primera vez cómo circulan los glóbulos rojos por los capilares. Durante más de un siglo los microscopios incluyeron entre sus accesorios una pieza que permitía observar el torrente sanguíneo en la cola de los peces.

En 1665 Robert Hooke escribió en *Micrografía*, el primer libro detallado sobre el microscopio:

Si tomamos un fragmento muy transparente de cristal de Venecia (un fragmento de una botella de vino rota) y en una lámpara lo separamos en pequeñísimos hilos o filamentos, luego sostenemos por un extremo estos hilos sobre una llama hasta que se derritan y se conviertan en un pequeño glóbulo redondo, o en una gota, que colgará del otro extremo del hilo...

Hooke describía en este pasaje cómo se fabricaban las primeras lentes de un microscopio de alta resolución, que en 1683 permitieron a Anton van Leeuwenhoek, comerciante de telas y microscopista, contemplar por primera vez las bacterias e inaugurar la larga línea de investigación que en el siglo XIX permitiría entender y en parte dominar las enfermedades infecciosas.

El microscopio fue mejorando casi exclusivamente gracias al empuje de la curiosidad, pues no se descubrió su utilidad económica hasta 1840. Con los primeros microscopios era bastante difícil discernir las imágenes. Alrededor de los objetos se formaban aberraciones cromáticas, y los contornos se veían borrosos. Tuvieron que pasar doscientos cuarenta años para que el microscopio permitiera observar en detalle las bacterias y los mecanismos de división y reproducción celular. Se hicieron aportaciones vitales en toda Europa. Pierre-Louis Guinand, un óptico suizo que trabajaba con Joseph Fraunhofer en Benediktbeuern, y Otto Schott, de la em-

presa Carl Zeiss de Jena, contribuyeron a mejorar extraordinaria-
mente el vidrio de las lentes. Para corregir las aberraciones cromáticas de los microscopios simples, que dificultaban la ampliación
de las imágenes e impedían verlas con claridad, se necesitaban dos
lentes de forma y tipo de vidrio distintos. Newton intentó eliminar las aberraciones combinando lentes de diferentes formas, pero
empleó el mismo tipo de vidrio y fracasó en el empeño, por lo que
concluyó que era imposible eliminarlas. Hasta 1670 sólo había existido el vidrio tradicional, pero por aquella época los vidrieros
italianos que trabajaban en Londres para el empresario británico
George Ravenscroft crearon un segundo tipo de vidrio, conocido
como cristal de plomo.

Ravenscroft obtuvo ese nuevo tipo de vidrio, pero no pensó que
podría utilizarse en telescopios y microscopios. Lo había fabricado
para emplearlo en copas de vino, jarras y cuencos. A nadie se le
ocurrió utilizarlo en un telescopio hasta setenta años después, en
Londres. La idea fue de John Dolland, hijo de un hugonote francés
exiliado que había emigrado a Inglaterra tras la revocación del edic-
to de Nantes, en 1685, tan sólo un siglo después de que los ópticos
flamencos huyeran de Amberes y establecieran su industria en las
Provincias Unidas, en las que más tarde se desarrollaría el telescopio.

Al desarrollo teórico de las nuevas lentes acromáticas, decisivas
para mejorar el microscopio, contribuyeron de forma importante
Samuel Klingenstierna, profesor de matemáticas de Uppsala, y
Leonhard Euler, matemático suizo que trabajaba en San Peters-
burgo. Joseph Lister, comerciante londinense de vinos, mejoró después con sus investigaciones la teoría del microscopio animado por
el científico escocés David Brewster.

El físico alemán Ernst Abbe, que trabajaba en Carl Zeiss con
Schott, el vidriero, perfeccionó las teorías ópticas y las técnicas de
fabricación, y dio al microscopio la calidad necesaria para que pu-
diese cambiar nuestra percepción del mundo.

El microscopio desempeñó un papel fundamental en la teoría de
los gérmenes como causantes de las enfermedades infecciosas ela-

borada por el químico y microbiólogo francés Pasteur. En aquel entonces estaba muy extendida la creencia de que las moscas, los gusanos, los mohos y otras formas inferiores de vida podían generarse de forma espontánea a partir de la materia en putrefacción. Esta idea no se rebatió con solidez hasta que se pudieron investigar adecuadamente las causas de las enfermedades infecciosas.

Pasteur llevó a cabo una serie de experimentos en un caldo de extracto de levadura y azúcar que vertió en pequeñas pipetas con cuello de cisne. Tras hervir el caldo durante varios minutos para matar todo organismo vivo, selló el cuello de algunas pipetas; en otras dejó entrar aire caliente esterilizado, y en otras filtró los microbios del aire con algodón. Después colocó las pipetas en hornos ligeramente calientes, y dos o tres días después comprobó que en los sellados y en los expuestos únicamente a aire esterilizado no se habían formado hongos ni materia putrefacta. En todas las demás pipetas se había desarrollado alguna forma de vida en la superficie del caldo. Es difícil imaginar que este sencillo pero irrefutable experimento pudiera haberse llevado a cabo en recipientes que no fueran de vidrio transparente. Pasteur dio un paso fundamental para comprender y combatir las enfermedades infecciosas; si los microbios hubieran podido generarse espontáneamente a partir de materia inerte, las infecciones habrían sido un problema muchísimo más difícil de tratar.

Más tarde el microscopio abriría el camino a un descubrimiento todavía más revolucionario. Todo lo que sabemos sobre genética lo debemos al descubrimiento del ADN y la doble hélice, que a su vez descansa sobre otro: el de los cromosomas y los procesos de división celular. Este descubrimiento primordial no habría sido posible sin la mejora del poder de resolución (la capacidad de hacer perceptibles hasta los más pequeños detalles) del microscopio.

La simplicidad con que hemos expuesto la historia en las páginas anteriores no debe llevar a engaño. Hubo muchas más personas implicadas en el proceso, y cada una de ellas formó parte de una compleja red sin la cual no podrían haber hecho sus aportaciones. No obstante, la historia no difiere mucho de cualquier otra historia sobre el desarrollo de un producto: la historia de un prolongado intercambio de ideas y herramientas que con el tiempo acaban configurando el mundo moderno en el que vivimos.

Aunque esta relación general entre los instrumentos científicos de vidrio y el avance de la ciencia no es muy difícil de ver, existen también relaciones sutiles mucho más complejas que a menudo se nos escapan. En la mayoría de los principales descubrimientos científicos se produce una larga concatenación de causas que, de romperse, impide completar el experimento con éxito. El vidrio, sea en forma de recipiente o de lente, suele ser un eslabón esencial de esa cadena. No es por tanto una causa inmediata, pero sí fundamental.

Hemos repasado con atención los veinte «grandes experimentos científicos» seleccionados y descritos por Rom Harré, historiador de la ciencia de Oxford, por considerarlos los «veinte experimentos que cambiaron nuestra visión del mundo». Abarcan desde los estudios de Aristóteles sobre la embriología de los pollos hasta los avances del siglo XX en mecánica cuántica, impronta genética, genética en general y percepción. Los instrumentos de vidrio fueron esenciales en doce de los veinte experimentos. De los ocho restantes, la mayoría precisó de conocimientos adquiridos en experimentos anteriores en los que se utilizó el vidrio. (Véase el apéndice 2 para más detalles.)

Para ver hasta qué punto puede resultar esencial el vidrio en descubrimientos fundamentales que no parecen guardar relación con él daremos un solo ejemplo que nos parece fascinante: la relación entre el vidrio y la historia de la máquina de vapor. A simple vista no parece existir tal relación. No parece que se haya utilizado vidrio para fabricar máquinas de vapor. ¿Por qué habría sido imposible que se desarrollara la máquina de vapor si no se hubiera generalizado el uso del vidrio en la ciencia?

La trascendencia de la máquina de vapor es innegable. Esta herramienta simboliza y hace realidad el paso de la sociedad agraria a la industrial. Multiplicó la velocidad de los viajes y de las máquinas tejedoras, y mejoró la extracción en las minas y la distribución de agua limpia, entre muchas otras cosas. La sociedad dejó de depender de la limitada energía que obtenía de plantas y animales para acceder a descomunales reservas de energía derivada del carbón que podrían durar millones de años. Su invención fue posible en el noroeste de Europa gracias a una concatenación de causas en cuyo origen se encontraba el vidrio.

De hecho la máquina de vapor fue uno de los catalizadores que permitieron a la humanidad liberar la luz solar acumulada y acelerar la materia, lo que allanaría el terreno a la invención de máquinas como el motor de combustión interna y la turbina de gas. Estas máquinas transformaban la energía generada al expandirse el gas en un útil movimiento mecánico. Las investigaciones sobre las propiedades y las leyes de los gases, y sobre la relación entre volumen, presión y temperatura, avanzaron enormemente en el siglo XVII. En parte se logró gracias a los experimentos llevados a cabo en Alemania, Inglaterra y los Países Bajos con la recién inventada bomba de aire, que siguió a la creación del barómetro y a la demostración de la existencia del vacío en Italia en la década de 1640.

El vidrio no fue necesario para fabricar las máquinas de vapor atmosféricas (los motores de primera generación), que aprovechaban el peso o la presión de la atmósfera para desplazar hacia abajo un pistón de gran diámetro bajo el cual se había creado un vacío parcial mediante la condensación del vapor. Sin embargo, era preciso que los creadores de los primeros motores entendieran bien las leyes de la atmósfera, es decir, que el aire «pesaba» y podía ejercer presión, que se podía crear un receptáculo cerrado con menos aire en su interior del que poseería de estar abierto, que era posible condensar el vapor para lograr este efecto y que la diferencia de presión resultante podía aprovecharse para ejercer una fuerza considerable. Todos estos conocimientos, apenas intuidos hacia 1600, se habían desarrollado en profundidad e incluso cuantificado en Europa un siglo después. Y se había hecho mediante una serie de experimentos cuidadosamente ejecutados. En algunos de ellos había sido fundamental la utilización del vidrio.

En la década de 1640 Berti, en Roma, y algo después Torricelli, en Florencia, llevaron a cabo experimentos que sugerían con casi total seguridad que existía un espacio vacío de materia, lo que después llamaríamos simplemente «vacío». Ambos realizaron el experimento con un largo tubo vertical que rellenaron con un líquido. Berti empleó un tubo de plomo de unos nueve metros de altura y lo apoyó contra la fachada de su casa. En el extremo superior había adherido un matraz de vidrio lleno de agua. El tubo de Torricelli, mucho más corto y totalmente de vidrio, estaba lleno de mercurio y sellado por arriba. Medía unos noventa centímetros. En los dos experimentos se dejó escapar el líquido por la abertura inferior del tubo, lo que dejó un espacio vacío en la parte superior. La curiosidad por descifrar la naturaleza del vacío y por explicar por qué era constante y fácilmente reproducible la altura del líquido restante dio lugar después a un raudal de experimentos científicos.

El experimento de Torricelli es un ejemplo interesante de cómo se innova. Si no hubiera existido el vidrio, habría sido difícil que Torricelli dijera: «Necesito un material a través del cual pueda ver, con forma de tubo y de una longitud indeterminada» (pues para llegar a la longitud correcta tuvo que realizar antes varios experimentos de prueba). «Necesito algo cerrado por un extremo y que se aguante de pie aunque contenga una pesada columna de mercurio.»

Vayamos un poco más allá. Imaginemos que en la década de 1640 hubiera existido en Italia una consolidada industria vidriera que fabricara vidrio transparente y botellas o elementos decorativos de vidrio soplado como paso intermedio en la producción de vidrio plano. En este supuesto Torricelli podría haber pagado a un vidriero para que convirtiera una de sus enormes burbujas de vidrio en un largo tubo. Habría innovado, pero en el marco de las posibilidades de la época.

En una última fase de fabricación, un vidriero hábil, el propio Torricelli o algún ayudante podrían haber sellado perfectamente un extremo del tubo, fuera fundiéndolo y cerrándolo o soplando una bola de vidrio en el extremo fundido. Por tanto la innovación se produce cuando se sabe aprovechar lo existente y a la vez diseñar algo nuevo. Algo parecido podría decirse de la bomba de vacío de Robert Boyle, que sólo podría haber salido de un contado número de talleres en todo el mundo, pues el resto carecía de medios para fabricar un objeto redondo de vidrio de tan grandes dimensiones.

En estos ejemplos, al desgranar la cadena de causas y efectos que llevaron a cada uno de los descubrimientos, vemos que sin vidrio transparente no habríamos tenido ni barómetros, ni bombas de aire, ni tampoco las cámaras o las leyes de los gases que hicieron posibles estos artilugios, como Robert Boyle bien sabía. Con recipientes o tubos de metal, cerámica o porcelana no se habría podido ver qué pasa en el interior. Así pues, el vidrio desempeñó un papel decisivo en el proceso que desembocó en la creación de las principales fuentes de energía de la revolución industrial al facilitar a la ciencia el acceso a un conocimiento más riguroso de las leyes de la naturaleza.

La trascendencia del vidrio en la mayoría de los principales instrumentos de que se sirvió la investigación científica en el siglo XVII es obvia. Léase por ejemplo el siguiente comentario de Knowles Middleton:

En tan sólo unas décadas del siglo XVII se inventaron seis valiosos instrumentos científicos cuyo impacto en el desarrollo de la ciencia fue inmenso: el telescopio, el microscopio, la bomba de aire, el reloj de péndulo, el termómetro y el barómetro. Todos ellos hicieron posibles experimentos y mediciones hasta entonces inimaginables.

De los seis instrumentos mencionados por Middleton, el reloj de péndulo era el único que no requería vidrio transparente.

Otros tres últimos ejemplos ilustran esta influencia indirecta del vidrio. Uno es un artilugio omnipresente y necesario en la vida moderna que con frecuencia pasa inadvertido: la humilde bombilla. El tercer milenio arranca en un mundo de luz creada artificialmente. La combustión de ceras y aceites resultó muy útil a la humanidad durante varios miles de años para disponer de luz cuando caía el sol. Con el advenimiento de la electricidad, a principios del siglo XIX, surgió la posibilidad de crear un sinfín de aparatos pequeños, económicos y prácticos que emitieran luz. El problema, que muchos científicos, entre ellos Thomas Edison, trataron de resolver en sus experimentos, era cómo fabricar un pequeño bucle o alambre con un material que condujera la electricidad y que al ponerse incandescente, se volviera blanco y emitiera luz. Esto era bastante fácil de conseguir con un fino alambre de platino, por ejemplo. Lo difícil era construir un artilugio que funcionara durante semanas o meses. Colocando el filamento en un globo de vidrio y sustrayendo casi todo el aire con una de las nuevas bombas de vacío de alta potencia, se resolvía el problema. Más tarde se descubrió que, en lugar de vaciar el globo, se podía rellenar de gases inertes cuidadosamente purificados. El globo de vidrio transparente sigue siendo hoy en día una pieza esencial tanto de la bombilla de filamento como de la más moderna lámpara fluorescente.

El segundo ejemplo procede del arte de la navegación, sin el que los imperios comerciales sobre los que se erigieron las modernas economías mundiales no habrían logrado consolidarse. Hasta principios del siglo XVIII embarcarse en largas travesías comerciales por mar era una empresa extremadamente peligrosa y muy poco rentable, pues las mediciones de la latitud y la longitud dejaban bastante que desear. Muchas expediciones se perdían y flotas costosas desaparecían por burdos errores de cálculo. Los barcos se veían de pronto a la deriva en medio del Pacífico sin saber qué rumbo tomar. Incluso los que costeaban el Atlántico europeo o zarpaban hacia América corrían peligro, pues una vez perdían tierra firme de vista les resultaba casi imposible calcular con precisión dónde se encontraban. La latitud no representaba tantos problemas. Hacía tiempo que se sabía calcular con cierta exactitud el ángulo del sol de mediodía con instrumentos como el cuadrante de Davis y otros goniómetros. Sin embargo, a principios del siglo XVIII la exactitud de las mediciones dio un considerable salto cualitativo con la invención del sextante, un aparato para cuya fabricación se precisa vidrio. El sextante se vale de vidrio transparente y semiazogado. El vidrio azogado refleja la imagen del sol, que se ajusta hasta proyectarla sobre el horizonte que se ve a través de un telescopio de vidrio transparente. Bien utilizado, este aparato permite determinar la latitud con un margen de error de entre sólo quince y treinta kilómetros.

La longitud era más difícil de calcular. El primer método realmente eficaz para medir esta variable llegó con el reloj de precisión o cronómetro, resistente a la niebla salina, los cambios bruscos de temperatura y humedad y el constante vaivén de las largas travesías marinas, en las que no eran infrecuentes las tormentas y los vendavales. El vidrio no se emplea en el mecanismo del cronómetro, pero es imprescindible: sin él habría sido imposible construir un aparato servible y bien protegido que resultara apto para los viajes en barco. La protección frontal de vidrio preservaba el mecanismo aislándolo de los elementos exteriores sin impedir la visibilidad.

Hubo muchos otros instrumentos de navegación que dependían del vidrio y cuya trascendencia no dejó de aumentar a lo largo del siglo XVIII. Los telescopios y los binóculos eran muy utilizados para ver a distancia. Los faros, las linternas y los faroles que señalizaban los puertos, la costa y los costados de las embarcaciones facilitaban la navegación por aguas difíciles y concurridas. En el interior del barco los faroles protegidos por vidrio permitían trabajar de noche en lugares en los que la llama de una vela habría durado poco encendida.

El tercer ejemplo lo encontramos en la representación de imágenes visuales proyectadas en el tiempo y en el espacio. Los primeros experimentos con *camera obscura* son muy antiguos y no precisaban del vidrio. El método más simple consistía en proyectar una imagen (invertida) del mundo exterior en una habitación oscura a través de un pequeño orificio perforado en una contraventana. Los experimentos de los que surgió la fotografía en la primera mitad del siglo XIX requirieron vidrio en varias fases: en el objetivo de la cámara, en la placa fotográfica y en el cuarto oscuro. Sin el vidrio no habría surgido la fotografía ni nada de lo que se ha generado a partir de ella, ahora parte consustancial del mundo en que vivimos. Huelga decir que sin la fotografía tampoco se habría desarrollado el cine en la última década del siglo XIX. Aunque la televisión no utiliza la misma tecnología que el cine, también depende a su vez de las cámaras y las pantallas, entre cuyos componentes se cuenta el vidrio, y parece muy poco probable que hubiera llegado a desarrollarse sin la inspiración del cine de los años precedentes. Las turbinas de gas y vapor siguen generando hoy la electricidad que hace posible la televisión, y ninguna de ellas se habría inventado de no haberse creado antes la máquina de vapor y de no haberse descubierto las leyes de los gases. Así pues, de no ser por la existencia del vidrio, viviríamos en un mundo sin fotografía, sin cine y sin televisión. La influencia en aspectos como la generación del deseo, la rápida transmisión de información a larga distancia o la preservación de la memoria histórica es obvia si imaginamos cómo sería el mundo sin estas tecnologías de la información, por no hablar ya del ordenador, para cuyo funcionamiento se necesitaban, cuando menos, pantallas de vidrio.

Dicho en pocas palabras, sin instrumentos de vidrio no habría existido ninguna de las siguientes ciencias: histología, patología, protozoología, bacteriología y biología molecular. La astronomía, las ciencias biológicas generales, la física, la mineralogía, la ingeniería, la paleontología, la sedimentología, la vulcanología y la geología habrían seguido también caminos muy distintos. Todas estas disciplinas descansan en su mayor parte sobre la disponibilidad de vidrio transparente y sobre su manipulación. Son un buen ejemplo de cómo el vidrio interviene en toda una ristra de causas y efectos.

Podemos concluir insistiendo una vez más en cómo el mundo de hoy no sería el que es sin este extraordinario material. Sin vidrio transparente no habríamos podido descubrir las leyes de los gases y no habrían existido ni la máquina de vapor ni el motor de combustión interna. Sin vidrio transparente no habríamos llegado a ver las bacterias ni habríamos entendido cómo se desarrollan las enfermedades infecciosas, de modo que no se habría producido la revolución médica que siguió a Pasteur y a Koch. Sin la química, en cuyos principales avances se utilizaron instrumentos de vidrio, no habríamos identificado el nitrógeno, por lo que no existirían los fertilizantes artificiales nitrogenados, y gran parte de los avances que se produjeron en la agricultura a partir del siglo XIX se habrían perdido. Sin vidrio transparente no habría telescopios. La astronomía se limitaría a la observación visual. No sabríamos de la existencia de las lunas de Júpiter ni habríamos tenido manera de comprobar que Copérnico y Galileo tenían razón. Sin vidrio no sabríamos cómo se dividen las células (ni siquiera que existen), por lo que no habría microbiología ni genética, y evidentemente no se habría llegado a descubrir nunca el ADN. Y luego están las gafas. Sin ellas la gran mayoría de la población de más de cincuenta años (al menos en Occidente) tendría enormes dificultades para leer este o cualquier otro libro.

6

El vidrio en Oriente

Un hombre ante un cristal,
en él puede detener su mirada,
o puede mirar más allá
y en el cielo echar una ojeada.

George Herbert, «The Elixir»

¿Hay alguna manera de corroborar o rebatir la tesis de que el vidrio fue la causa necesaria, si no la suficiente, para que se produjera una eclosión del conocimiento fidedigno en la región euroasiática occidental? Ante la imposibilidad de realizar un experimento para observar cómo habría sido la historia de Europa occidental sin el vidrio, sólo nos queda el método comparativo. ¿Qué sucedió en otras civilizaciones? En concreto, ¿qué diferencias encontramos entre las dos mitades de la región euroasiática? El resultado de este análisis no será concluyente, por supuesto, pero nos permitirá ver si podemos descartar o no nuestra tesis de partida. Esta afirmación se basa en el argumento plausible de que si encontráramos un solo caso de civilización (por ejemplo, India, China o Japón) en la que el desarrollo del conocimiento fidedigno pudiera equipararse al de Europa occidental sin haber recurrido apenas al vidrio, quedaría desautorizada la hipótesis de que el vidrio fue condición necesaria para que se desarrollara la «ciencia». En cambio, si comprobamos que India, China o Japón no experimentaron el aumento del conocimiento fidedigno al que nos referimos ni utilizaron apenas el vidrio, seguirá siendo posible que las causas sean otras y no la ausencia de este material. El vidrio no podrá ser más que una de las múltiples causas necesarias; tampoco la única causa suficiente. Los pueblos cazadores y recolectores no carecían de ciencia por carecer de vidrio. Los romanos fabricaron un vidrio fabuloso y sin embargo no desarrollaron lo que hoy conocemos como «ciencia». Con todo, no está de más llevar a cabo un estudio de control y analizar otros casos. Para ello nos alejaremos del Mediterráneo, dirigiremos la mirada hacia el este e investigaremos brevemente la historia del vidrio islámico, indio, chino y japonés.

En varios aspectos una de las historias del vidrio más ilustrativas es la de las civilizaciones islámicas. Tras la caída del imperio romano el eje de la producción de vidrio se desplazó de nuevo al Mediterráneo oriental, la zona donde se había descubierto y desarrollado: Siria, Egipto, Irán e Irak. La región estuvo durante un tiempo bajo el dominio del imperio sasánida, que gobernó en un vasto territorio de Asia occidental entre los años 224 y 651 d.C. En esta zona se solía fabricar vidrio de color verde claro o transparente y se utilizaban técnicas como el soplado, el colado, el prensado y el corte con rulina en vidrio decorado o estampado. Muchos objetos eran de gran belleza y se enviaban muy lejos; se encontraron dos, por ejemplo, en tumbas japonesas de los siglos VI y VIII de nuestra era.

En el siglo VII, con la expansión de la civilización islámica, los árabes destruyeron el imperio sasánida, pero la industria vidriera no desapareció. Como el islam había absorbido también otras dos grandes zonas de producción de vidrio, la sirio-palestina y la egipcia, la nueva civilización heredó muchas técnicas de producción avanzadas. No obstante, alrededor de un siglo después de que se produjeran las invasiones la producción de vidrio decayó y no se reavivó hasta el año 750 aproximadamente, en que se consolidó sobre todo en Bagdad. En el siglo IX se había consolidado ya un particular estilo islámico famoso por la exquisita maestría de los artesanos. La producción vidriera estaba muy extendida y abarcaba desde prácticas vasijas hasta delicados y lujosos utensilios para la casa.

El vidrio maravillosamente decorado del mundo islámico apenas ha tenido precedentes ni se ha conseguido superar después. Los vidrieros islámicos sobresalieron como nadie en técnicas como la pintura brillante, los grabados, el esmaltado y las doraduras. Produjeron grandes cantidades de botellas, cuencos, jarras, tableros y piezas de juegos, pequeños discos para pesar las monedas, lámparas (sobre todo para las mezquitas) y mosaicos. Este vidrio se vendía en toda la región euroasiática y adquirió tanta importancia en el vasto nuevo mundo del islam como había tenido en el imperio romano. Se han encontrado restos en puntos tan alejados como Escandinavia, Rusia, África oriental e incluso China. Durante los siglos XIII y XIV Siria produjo el vidrio más glorioso de este nuevo imperio. Su producción, primero en Aleppo y después en Damasco, se desarrolló a gran escala, con magníficos ejemplos de piezas decoradas con animales, pájaros, flores y follajes arabescos. Entre los objetos encontramos pulverizadores, globos, cuencos con pie, tazas y botellas de cuello largo. Las lámparas (en realidad, linternas) empleadas en escuelas y mezquitas poseían una belleza especial y su importancia era enorme, el equivalente más cercano en simbolismo y difusión al vidrio de color de las vidrieras, cada vez más presentes en las iglesias de Europa occidental. Ilustraban las palabras del Corán: «Alá es la luz de los cielos y de la tierra. Su luz es comparable a una hornacina con un pábilo encendido. El pábilo está en un recipiente de vidrio, que es como una estrella fulgurante».

Por desgracia sabemos muy poco sobre el empleo funcional del vidrio. Sí sabemos, no obstante, que se crearon numerosos instrumentos científicos, como alambiques (de destilación) y ventosas de vidrio para sangrías. Los pesos y medidas oficiales se fabricaban en vidrio. Es probable que también se utilizara, aunque de forma limitada, para fabricar espejos, lentes plano-convexas de aumento y para otros fines. El hecho de que los pensadores árabes de esta época revolucionaran las matemáticas, la geometría, la óptica y la química seguramente no es casual.

Otra gran categoría de objetos era la de los recipientes de perfumes y productos cosméticos, en concreto pequeños frascos y otros botes para pomadas y ungüentos. Además de su interés, estos objetos habían sacado mucha ventaja a la industria vidriera occidental desde tiempos romanos. En tercer lugar, estarían los utensilios de mesa: botellas, cuencos y platos. Un aspecto de la historia del vidrio que despierta nuestra curiosidad es el desarrollo de las copas de vino. ¿Es cierto que la prohibición del islam de beber vino influyó en este proceso? La importancia de la producción de copas de vino en Italia al mejorarse la calidad del vidrio nos obliga a plantearnos esta pregunta.

Finalmente parece ser que la fabricación de vidrio para ventanas estaba muy poco desarrollada. En las casas tradicionales de Oriente Próximo, en las que interesaba que corriera el aire en la temporada de más calor, apenas se utilizaba el vidrio en las ventanas. Algún que otro libro sobre arquitectura musulmana alude al empleo de pequeños vidrios de colores en edificios religiosos y seculares, pero fuera de estos casos encontramos muy pocos indicios de que el vidrio se utilizara en las ventanas. El hecho de que no se desarrollara el vidrio plano es importante; los avances más extraordinarios, en particular los que tuvieron lugar en el norte de Europa, surgieron en gran medida de la conjugación de tres factores: el clima, la cristiandad y el empleo de vidrio coloreado en las vidrieras de las iglesias y transparente en las ventanas.

La rápida decadencia de la industria vidriera en el mundo islámico es un misterio. La explicación de que los invasores mongoles la eliminaron del mapa es simple, pero tiene sin duda algo de verdad. La primera oleada de destrucción tuvo lugar en los siglos XII y XIII en la mitad norte de la zona islámica y algunas zonas de Rusia. Las invasiones mongolas acabaron con la floreciente industria vidriera de la Rusia de Kiev a principios del siglo XII. La próspera industria persa cayó a manos de Gengis Kan a principios del XIII.

La segunda oleada de destrucción se produjo en el siglo XIV. El saqueo de las vidrierías y la deportación de los vidrieros de Damasco por Tamerlán en 1400 puso fin a la época dorada del vidrio islámico. Ahora bien, la calidad y la cantidad llevaban resintiéndose ya medio siglo cuando el conquistador mongol sembró la destrucción, lo que indica que hubo también otras causas. A partir de 1400 se produjo poco vidrio de calidad en Siria y las regiones vecinas. La industria vidriera se había extinguido y Venecia empezaba a satisfacer la demanda de vidrio de lujo. Las causas de la desaparición de la industria siguen sin estar claras; no se sabe si se debió a la competencia de Occidente, a la propagación de plagas en las ciudades, a la deportación de la mano de obra o a algún otro factor. Lo que sí sabemos es que a partir de 1400 en el mundo islámico dejó de fabricarse vidrio de calidad durante varios siglos.

Esta historia es extraordinaria. En el periodo comprendido entre los años 700 y 1400 la civilización islámica era la más avanzada del mundo en producción vidriera. También era la más avanzada en medicina, química, matemáticas y óptica (física). De pronto, justo en el momento en que el vidrio estaba transformando la ciencia y la visión europeas, prácticamente desapareció del islam. No puede ser simple coincidencia; tiene que haber cuando menos cierta afinidad electiva. Sin embargo, lo que pudo hacer que Europa despegara con mucha más fuerza a partir de 1200 es que los instrumentos de vidrio que sirvieron al pensamiento —en particular las lentes y los prismas, las gafas y los espejos— adquirieron un grado de desarrollo que no parece que alcanzaran en la industria vidriera islámica. Las lentes de doble cara y las gafas, los plafones de vidrio plano (como los utilizados en las pinturas renacentistas) y los espejos de alta calidad (como los de Venecia) no se llegaron a producir nunca en la industria vidriera medieval del islam. ¿Es ésta la diferencia?

A partir de 1400 la historia puede explicarse muy brevemente. Turquía produjo algo de vidrio bajo el imperio otomano, pero tuvo que volver a importar las técnicas de Venecia a finales del siglo XVIII. Se han hallado indicios de que en Turquía se fabricó un poco de vidrio en el siglo XVI, al igual que en Irán en el siglo XVII, pero en ambos casos se trataba de vidrio de escasa calidad. Existen otros ejemplos de lugares con una industria vidriera mínima, pero en general casi no hay constancia de que se fabricara vidrio en Oriente Próximo entre finales del siglo XIV y el siglo XIX.

Resulta tentador especular sobre qué habría pasado si los mongoles no hubieran arrasado con la industria vidriera, primero del norte y después del sur. Si Venecia hubiera competido a partir de 1400 con la pujante industria vidriera islámica en la fabricación de espejos y lentes, quizá hoy viviríamos en un mundo muy distinto.

El destino del vidrio en India es también interesante. Hablamos de un vasto y avanzado subcontinente que había sobresalido en numerosas técnicas a lo largo de los siglos: en herrería y cerámica, en costura con telares e hiladoras, en ebanistería y cestería. Se encontraba al otro lado de la frontera de la zona donde empezó a desarrollarse el vidrio (Persia y Oriente Próximo en general), con la que mantenía un constante intercambio comercial. Siendo inevitable el progreso de este material, es posible que esperáramos que la producción vidriera también hubiera prosperado en India. ¿Qué nos enseña su historia?

En los milenios que precedieron el nacimiento de Cristo el vidrio parece bastante extendido, aunque se utilizaba principalmente con fines ornamentales. Los primeros artesanos indios fabricaban cuentas y brazaletes, pendientes, sellos y discos. Tenían los conocimientos y las técnicas. Plinio afirmó que ningún vidrio podía compararse al indio, si bien conviene aclarar que el motivo que alegó fue que empleaban cristal roto para fabricarlo. Desde el nacimiento de Cristo hasta el siglo V parece que se produjo un auge en la producción y la utilización del vidrio, y hay incluso quien sostiene que llegó a ser muy utilizado. Además se importaban objetos de vidrio de otros países, incluidas copas de vino, y está demostrado que se conocía la técnica del soplado. Parecía que India avanzaba en paralelo a los territorios del oeste.

Sin embargo, la industria se desvaneció. A partir de la época dorada de los guptas, a partir del año 450 d.C. aproximadamente, la producción vidriera de India decayó hasta el punto de desaparecer y no remontó hasta casi un milenio después. De este periodo sólo se han recuperado varios brazaletes y cuencos vidriados. En el periodo bahmanita (1435-1518) se produjo un leve resurgimiento. En todo el Decán se encontraron brazaletes, cuentas y cuencos de vidrio laminado de aquella época. Con todo, si comparamos este estado de cosas con lo que había sucedido en Europa, no pasa inadvertida la ausencia de ventanas, espejos, lentes, gafas y de la utilización generalizada del vidrio en vasos y copas.

Durante el periodo mughal la corte invitó a artesanos persas que fabricaban vidrio. El vidrio transparente era poco habitual; solía ser de un profundo color azul cobre y se decoraba con flores y otros motivos ornamentales. Decoraban las cachimbas con vidrio, y también producían cuencos y escupideras. La historia de los espejos da en India un giro inesperado: el vidrio se utiliza, pero en el reverso de los espejos de metal, con efectos decorativos (normalmente vidrio verde o marrón claro que imitaba el jade). Así pues, el vidrio se utilizaba en elegantes objetos de lujo destinados a la nobleza. La mayor parte de lo que se conserva de este periodo data de finales del siglo XVII.

El divergente desarrollo de India y Europa occidental se observa en el momento en que empieza a notarse la influencia de los comerciantes portugueses y británicos. Se han encontrado gafas de vidrio del primer cuarto del siglo XVI y existen muchas pruebas de que la Compañía de las Indias Orientales empezó a importar gafas a principios del siglo XVII. De la correspondencia de esta compañía se desprende que había gran demanda de vidrios ópticos, gafas y otros objetos de vidrio. También estaba muy extendido el uso de botellas holandesas para guardar agua de rosas, ginebra o tinta. El vidrio importado parecía emplearse bastante, pero es difícil saber hasta qué punto estaba desarrollada la producción autóctona durante este periodo. Hacia finales del siglo XVIII encontramos ya interesantes descripciones de hornos para vidrio originarios de la zona. Y en el siglo XIX se había consolidado una importante industria vidriera nativa, aunque al parecer la producción consistía principalmente en brazaletes y vasijas; apenas se han hallado indicios de que se fabricaran espejos, ventanas, gafas ni lentes, entre otros objetos.

La calidad del vidrio indio supuso un problema durante este periodo, pues estaba lleno de impurezas. Esto tuvo varias consecuencias. La falta de transparencia llevó a una mayor demanda de vidrio extranjero de mejor calidad, y a partir de finales del siglo XVII de vidrio de plomo británico particularmente, por lo que la industria local quedó reducida a la mínima expresión.

La situación era la siguiente: aunque los indios conocían muy bien todas las técnicas de producción de vidrio, apenas desarrollaron su industria, ni siquiera antes de que la competencia extranjera acabara por aniquilarla. Según los historiadores, en este proceso influyeron varios factores. Uno de ellos son los materiales empleados para la elaboración del vidrio. Hay quien dice que en India escaseaba el natrón, un álcali natural. No es un motivo menor, pero de haber sido propicios los demás factores, sospechamos que, dada la sólida industria artesanal del siglo XIX, se podría haber salvado este obstáculo.

Se han sugerido otras dos causas interrelacionadas que explicarían este lento desarrollo del vidrio. Una es la escasa consideración social de los vidrieros. Al igual que todos los profesionales dedicados a transformar la naturaleza en cultura (herreros, sastres y peleteros), los vidrieros vivían relegados a la posición más baja del sistema de castas. Así pues, al oficio de vidriero no accedían las clases formadas ni las apoderadas. Influían también el esnobismo y las restricciones religiosas. Al parecer, el vidrio no era considerado un material de altos vuelos, codiciado por las clases ricas y elegantes. Los textos religiosos sugieren que se miraba el vidrio con cierto desprecio. Una de sus principales funciones parecía ser imitar otros materiales: el jade y las piedras preciosas, la cerámica y la porcelana. No parece que fuera valorado como material en sí mismo. Y este proceso es un pez que se muerde la cola. Cuanto más se valora el vi-drio, más dinero se gasta en él y en desarrollarlo de mejor calidad, lo que a su vez lo hace más atractivo. Así sucedió en Occidente. Por el contrario, si se considera una alternativa de segunda frente a otros materiales, bastará con emplear vidrio con impurezas, cuyos usos quedarán limitados, e irá perdiendo atractivo.

Desde un punto de vista más general, en esta historia destacan varios aspectos. Primero, la falta de desarrollo no se debió ni a la ausencia de conocimientos ni al precario dominio de las técnicas. Ambos, conocimientos y técnicas, estaban tan presentes en esta zona como en el Mediterráneo, donde con tanta rapidez se desarrolló el vidrio. Segundo, India es un ejemplo de cómo pudo una civilización olvidarse del material durante un milenio. Pese a haber estado muy extendido en el año 400, al menos en pequeños ornamentos, mil años después el vidrio había casi desaparecido. Y tercero, no es difícil ver que había motivos tanto funcionales como materiales para que así fuera. Si examinamos cada uno de los principales usos que se suele dar al vidrio, vemos por qué India no lo necesitó. Para empezar, contaba con una larga y muy consolidada tradición ceramista. Para almacenar o beber líquidos había botes y vasos baratos que suplían mejor las necesidades que los costosos vasos de vidrio. Por otro lado, el clima no convirtió las ventanas de vidrio en una prioridad, lo que dejó el vidrio plano sin desarrollar. Por último, en India había mucho latón de calidad y otros metales que servían para fabricar espejos. Por lo tanto, tal vez esté de más invocar actitudes hindúes o islámicas hacia el vidrio para explicar por qué no se desarrolló este material en la civilización india.

Con todo, las consecuencias fueron incalculables, entre ellas los posibles efectos sobre la ciencia india. Es de sobra conocido que las matemáticas estaban muy avanzadas en India, que aportó a Occidente el concepto y el signo del cero, por ejemplo. Sin embargo, alrededor del año 500 las matemáticas empezaron a volverse cada vez más abstractas y puras. Tampoco se desarrollaron mucho, por lo que sabemos, la geometría y la óptica. Los experimentos y los ensayos

matemáticos que permite realizar el vidrio mediante espejos y lentes no fueron posibles en esta zona. Por otro lado, están los efectos
sobre el arte. Como hemos sugerido con anterioridad, el vidrio es
uno de los elementos cruciales que contribuyeron a revolucionar
el arte occidental, con la perspectiva, la profundidad y el realismo.
El hecho de que el arte indio, desde la época medieval hasta el famoso arte persa de los mughal, siguiera siendo bidimensional y simbólico pudo estar influido por la ausencia de vidrio. Por su parte, la
ausencia de espejos de vidrio también tuvo profundas repercusiones sobre los conceptos de persona e individuo, como veremos más
adelante.

Durante la mayor parte de la historia China fue siempre la civilización más avanzada, por lo que cabe preguntarnos qué hicieron
los chinos con esa extraordinaria sustancia que llamamos vidrio. Si
partimos de la perspectiva occidental, la trayectoria del vidrio en
China en los últimos tres mil años es desconcertante. Esta civilización, cuna de algunos de los artesanos más creativos de la historia
—sobresalientes ceramistas, orfebres, impresores y sastres—, apenas
contribuyó al desarrollo del vidrio.

Hacia el siglo VI a.C. la producción vidriera estaba probablemente
bastante extendida. La técnica del colado se dominaba ya en la dinastía Han (206 a.C.-220 d.C.), durante la cual fabricaron objetos
rituales y joyas. El siguiente punto de inflexión se produjo con la
introducción de las técnicas de soplado, unos cinco siglos después
de que se desarrollaran en Oriente Próximo. Al principio los objetos de vidrio soplado se importaban. A partir del siglo V esta técnica empezó a utilizarse en China.

Durante los siguientes mil años la producción autóctona se com-
binó con considerables importaciones de vidrio foráneo: romano
primero e islámico y europeo después. Se trataba principalmente
de pequeños objetos rituales, a los que más tarde se sumaron juguetes y otros artilugios, como pantallas detrás de las cuales se co-
locaban objetos móviles. Aunque parece que la producción autóc-

tona en general no desapareció por completo, en los mil años que siguieron a la introducción de las técnicas de soplado la industria vidriera no pareció desarrollarse apenas y no se han recuperado más que varios frascos de relicario de uso religioso y algunas imitaciones de piedras preciosas. El arte, muy localizado y esporádico, no evolucionó a largo plazo.

Para explicarlo podríamos fijarnos en las funciones del vidrio y en la actitud que se tenía hacia él. El vidrio se veía básicamente como sustituto de las piedras preciosas y otras sustancias poco abundantes, pero de calidad inferior, no como un material magnífico en sí mismo. Su principal atractivo era que ofrecía una alternativa barata a materiales considerados preciosos, como la turquesa. El vidrio y los vidrieros tenían un estatus parecido al de India. Aunque nos vemos obligados a utilizar la palabra «vidrio» para poder establecer comparación, la sustancia carecía de las connotaciones que se le atribuían en Occidente. Era un material de calidad muy inferior, con menos interés que la arcilla, el bambú, el papel y muchos otros.

Un segundo uso que se puede dar al vidrio es el de los recipientes y vasos de diferentes tipos. Aquí podríamos preguntarnos qué puede hacer el vidrio fino que no pueda hacer la porcelana. Escribiendo sobre finales del siglo XVII, el gran historiador jesuita Du Halde comparó la porcelana con el vidrio y dio importantes pistas sobre una de las principales causas que explicarían la ausencia de vidrio en China:

En China sienten tanta curiosidad por los vidrios y los cristales que llegan de Europa como los europeos por los utensilios chinos. Sin embargo, nunca han cruzado los mares en su búsqueda, porque consideran sus utensilios más útiles: resisten el calor de los líquidos y permiten sostener la taza de té hirviendo sin quemarse, cuando se toma a su manera, para lo que no sirve siquiera una taza de plata de la misma forma y grosor. Además los utensilios chinos también brillan como el vidrio, y aunque son menos transparentes, resultan menos quebradizos.

Du Halde explica a continuación que la porcelana, al igual que el vidrio, se puede decorar labrándola con diamante, por lo que es obvio que, teniendo utensilios de porcelana, probablemente no necesitaran recurrir al vidrio a la hora de fabricar vajilla apta para bebidas calientes. China es, junto con Japón, una de las grandes potencias cerámicas del mundo, y la cerámica tiene muchas ventajas. Es mucho más barata y resiste muy bien el calor de los líquidos. Era poco probable que una nación que bebía té desarrollara las magníficas copas de vino que crearon los herederos del vidrio romano.

En cuanto a las ventanas, es evidente que la buena calidad del papel aceitado y la calidez del clima, sobre todo en el sur, impidieron que surgiese en China la necesidad de fabricar ventanas de vidrio. Ésta no es más que una de las muchas diferencias que encontramos. Por ejemplo, la arquitectura del sur de China consiste en buena medida en edificios de carpintería y celosías, que mucho más que edificios parecen tiendas. Colocar ventanas de vidrio en las frágiles paredes de estas construcciones, que apenas pueden sostener peso, era más difícil. En las casas de los campesinos chinos habría sido imposible, aunque se las hubieran podido permitir, de modo que para que pasara la luz abrían vanos que dejaban sin tapar o ponían ventanas de papel o de concha de mar. Además en China apenas había grandes edificios de piedra religiosos ni seculares que duraran siglos. No existía equivalente a las catedrales ni a las casas señoriales de Occidente.

China contó con una industria vidriera muy rudimentaria hasta por lo menos la década de 1670. Esto hizo que los usos que damos al vidrio en nuestra vida diaria —para beber, almacenar, acicalarnos y decorar y mejorar la casa— fueran muy distintos o ni siquiera se dieran. Lo fundamental para nuestra tesis es ver cómo la ausencia del vidrio en estas esferas de la vida marcó el desarrollo de instrumentos de pensamiento que lo requerían.

Los chinos sentían pasión por los espejos, pero sobre todo por los de bronce muy bruñidos, a los que a menudo atribuían propiedades mágicas. A esos espejos de bronce se les podía dar forma plana, convexa o cóncava, y se utilizaban en algunos experimentos como «lentes incendiarias». Hay quienes sugieren que en fechas tempranas acaso inventaron también las lentes biconvexas de vidrio, pero, de ser así, desaparecieron hacia el siglo XII. También se ha debatido, sin resultados concluyentes, la posibilidad de que se crearan gafas utilizando vidrio.

En China las técnicas de producción de vidrio, la fabricación de vidrio de color y transparente, el soplado y el uso de plomo y bario se conocían ya antes del año 800 de nuestra era. No obstante, el interés por el vidrio fue escaso hasta el breve periodo comprendido entre 1670 y 1760 aproximadamente, en el que el ímpetu de los jesuitas suscitó un entusiasmo que después se extinguió durante cerca de otro siglo. Por lo tanto, desde el año 800 hasta 1650, el periodo precisamente en el que el vidrio despegó primero en el islam y después en Europa occidental, en China apenas se desarrolló.

Se sabe que los japoneses aprendieron a fabricar vidrio desde muy temprano, tanto de color como transparente. Dorothy Blair, la mayor experta en historia del vidrio japonés, explica que se encontraron cuentas y discos de este material posiblemente elaboradas en Japón durante el periodo Yayoi (h. 300 a.C.-300 d.C.). La utilización del vidrio se difundió y aumentó, sobre todo para la elaboración de cuentas, durante el periodo Kofun (h. 300-710). Con la introducción del budismo en Japón, en 538, se empezaron a construir relicarios de vidrio, que más tarde se colocaron en pequeños frascos. Aparecieron nuevas técnicas para fabricar cuentas y posiblemente urnas de vidrio verde transparente.

En el periodo Nara (710-794) la producción de vidrio experimentó todavía mayor avance. Muchos templos contaban con sus propios talleres de producción vidriera. Se han hallado abundantes cuentas de collar y arcas llenas de fragmentos rotos, cuentas con forma de pez para llevar los cálculos y muchas clases de cuentas en espiral y de molde. El soplado se convirtió en una técnica habitual, y la disponibilidad del vidrio queda reflejada en el monumento al emperador Shomu († 756), donde se han hallado miles de cuentas de vidrio, objetos insertos, accesorios para marcos y varillas para pergaminos. En el periodo Heian (794-1185) la producción de vidrio decayó, aunque seguimos encontrando exquisitos ejemplos de cuentas y vidrio incrustado de compleja elaboración.

Parece claro que en un primer momento el vidrio tuvo cierta importancia espiritual para los japoneses, aunque lo utilizaban poco. Se han hallado cuentas, ornamentos e instrumentos religiosos, pero no se mencionan las ventanas, los vasos ni los espejos. Esto supone otra diferencia con respecto a Occidente, ya que los romanos o sus sucesores habían desarrollado todos estos otros usos hacia el siglo XII. Podemos empezar a ver el declive de la utilización del vidrio en Japón a partir de los siglos IX-X.

Aunque se mantuvo el gusto por las cuentas de vidrio, la producción vidriera siguió disminuyendo considerablemente durante el periodo Kamakura (1185-1333). Se seguían fabricando algunos objetos, pero es probable que la mayor parte de recipientes para líquidos se importaran de China. El declive se pronunció durante el periodo Muromachi (1333-1568) hasta el punto de que la producción casi desapareció. Hasta las cuentas se desvanecieron prácticamente por influencia del budismo zen, que reprobaba la adoración de las imágenes. Llegó un momento en que, hacia mediados del siglo XVI, salvo por la anecdótica producción de cuentas, el vidrio se convirtió en un completo desconocido. Durante el periodo Azuchi-Momoyama (1568-1600) no hubo producción. De hecho el arte del vidrio había quedado tan relegado al olvido, que cuando los comerciantes occidentales y los misioneros jesuitas llevaron los primeros objetos de vidrio soplado, a finales del siglo XVI, los japoneses pensaron que se trataba de un material nuevo y exótico que debían de haber extraído del suelo. Se trata de una historia extraordinaria, aunque no muy diferente de la de la gigante vecina, China. Entre los siglos X y XVI, el gran periodo de esplendor del vidrio en Europa, la producción vidriera prácticamente desapareció en Japón.

Los portugueses y los holandeses exportaron al país nipón la cal sodada y el vidrio de plomo. Los objetos hechos con este vidrio eran funcionales y carecían del simbolismo religioso atribuido a objetos anteriores. No obstante, la curiosidad llevó a la gente a intentar imitarlos. A principios del siglo XIX se elaboraban objetos de vidrio de gran calidad. Varios señores feudales, en particular Satsuma, experimentaban con el vidrio. La irrupción de norteamericanos y otras potencias extranjeras en la isla a mediados del siglo XIX provocó la casi total desaparición de la producción vidriera, aunque siguió habiendo cristalerías privadas en Tokio.

A quienes visitaban Japón en el siglo XVII no les pasaba inadvertida la excelencia técnica de los artesanos japoneses, que aplicada al vidrio les permitía fabricar objetos maravillosos. La máxima autoridad en historia japonesa, Engelbert Kaempfer, que vivió en Japón durante unos años a finales del siglo XVII, rastreó la expansión de la producción vidriera y señaló que los japoneses utilizaban ya en aquella época la técnica del soplado. Hablando de Tokio escribió:

En ambas aceras de la calle hay multitud de tiendas bien provistas regentadas por mercaderes y comerciantes: vendedores de paños y sedas, farmacéuticos, vendedores de parafernalia religiosa, libreros, sopladores de vidrio, boticarios y otros.

Hacia finales del siglo XVIII Thunberg también percibió esta habilidad: «Conocen el arte del vidrio y saben fabricarlo en múltiples usos, tanto transparente como de color». A mediados del siglo XIX, durante la misión de Elgin, volvería a aparecer esta doble visión en los testimonios de la época. Los japoneses sabían fabricar un vidrio precioso, pero su uso estaba restringido. Pese a su gran habilidad, prácticamente sólo lo empleaban con fines ornamentales, como si hubieran vuelto al periodo de máximo esplendor del vidrio japonés, el siglo VIII. El cronista de la misión de lord Elgin lo expuso categóricamente:

No deja de ser curioso que los japoneses, que tanta perfección han alcanzado en la fabricación de algunos objetos de vidrio –como por ejemplo botellas de exquisito diseño, tan ligeras y frágiles, que parecen simples
burbujas, en todas las tonalidades y bellamente esmaltadas–, desconozcan
el vidrio cilindrado. Sus espejos son piezas circulares de acero que pulen
muchísimo para que reflejen las imágenes y que suelen decorar profusamente por detrás.

Por lo tanto, en 1850 todavía no se había desarrollado ninguna de
las dos principales aplicaciones del vidrio en Occidente: las ventanas y los espejos.

Tras la restauración Meiji (1868) las nuevas técnicas y aplicaciones inundaron el mercado japonés. Los múltiples usos del vidrio,
como las ventanas y las lámparas, entre muchos otros, ya no eran un
misterio. Se contrató a expertos extranjeros, y la industria vidriera
no tardó en florecer. Hoy Japón es uno de los principales productores de vidrio del mundo, probablemente el segundo después de
Estados Unidos. Entre la amplia oferta de la industria vidriera japonesa destaca la enorme producción de vidrio cilindrado de primera calidad.

Así pues, la situación es la siguiente. Los japoneses tenían los conocimientos necesarios para fabricar vidrio de buena calidad desde por lo menos el siglo VIII, probablemente antes. Producían maravillosos objetos de vidrio, de color y transparente, pero casi siempre
con fines religiosos u ornamentales. A partir del siglo XII la producción se extinguió. Cuando los portugueses volvieron a introducir objetos de vidrio, les dieron un limitado uso decorativo. Incluso para referirse al vidrio los japoneses empleaban una palabra
derivada de las lenguas occidentales, *girasu*. Deberíamos tratar de explicar estas ausencias.

Como vimos al hablar de los espejos y de cómo habían influido
en la concepción del individuo, los japoneses solían utilizar espejos
de latón o acero, pero no de vidrio. Los espejos estaban muy ex-

tendidos y se consideraban símbolos sagrados muy importantes; sin embargo, no se desarrollaron los de vidrio, probablemente porque no los necesitaron. Por lo tanto, toda esa nueva dimensión de la percepción, los mundos reflejados en el espejo que tanto influyeron en el arte y en la ciencia estuvieron más o menos ausentes en Japón. En muchos contextos, como en los santuarios de Shinto, utilizaban el espejo para trascender el cuerpo físico; lo consideraban un objeto sagrado que permitía mirar en el interior del alma. Los buenos espejos de vidrio plano no se desarrollaron hasta finales del siglo XIX.

Una de las peculiaridades que más sorprendió a los europeos fue la ausencia de vidrio en las ventanas japonesas. A finales del siglo XVIII Thunberg observó que «al ser plano, antes no sabían fabricar vidrio para ventanas. Más tarde aprendieron la técnica de los europeos». Por eso «aquí no hay ventanas de vidrio». También constató que no había mica ni nácar, y que en las ventanas utilizaban pantallas de madera y papel.

La ausencia de vidrio en las ventanas tiene varias explicaciones posibles. En primer lugar, el clima japonés, que en general hacía que este tipo de ventanas resultara contraproducente. Durante la mitad más calurosa y húmeda del año los diminutos interiores de las casas se habrían vuelto insoportablemente sofocantes. Hoy en día muchas oficinas poseen aire acondicionado para subsanar este problema. En segundo lugar, la geología, que hace que las ventanas de vidrio resulten muy peligrosas, salvo que sean de vidrio templado. En muchas zonas de Japón se producen temblores casi a diario, así como frecuentes terremotos, lo que habría reducido a añicos aquellas primeras ventanas de vidrio. Luego están los materiales de construcción; las frágiles estructuras de madera y bambú no sostendrían las ventanas de vidrio como las estructuras de ladrillo europeas. Y había alternativas. Las pantallas móviles empleadas en Japón, hechas con papel de morera de calidad, dejaban pasar la luz y protegían del viento, con lo que constituían una excelente alternativa al vidrio. El coste probablemente influyó también. El vidrio es caro, y sólo las clases medias acomodadas se lo podían permitir. Hasta hace poco las ventanas de vidrio estaban fuera del alcance de la mayor parte de la población japonesa.

En el sistema numérico japonés los objetos se clasifican por categorías, una de las cuales está formada por los líquidos que se beben en recipientes, como el agua, el vino o el té. Les corresponde la terminación *hai*, 'para vasos o tazas de cualquier líquido'. De hecho sorprende mucho descubrir que en Japón no existen vasos ni copas de vidrio. Uno de los avances más significativos de la industria vidriera europea (en Venecia y otros lugares) fue la fabricación de vasos y copas, que existían ya en tiempos romanos. Sin embargo, en Japón no pareció dársele este uso hasta mediados del siglo XIX. ¿Por qué? Una vez más, las razones son varias y evidentes.

Una de ellas es el tipo de bebida. El vidrio veneciano se perfeccionó para una bebida omnipresente y de la más alta consideración: el vino. En los países del norte europeo, donde la cerveza era la bebida principal, no se empleaba vidrio, sino peltre y cerámica. Vino y vidrio parecen ir unidos. El vino se bebe con los ojos además de con los labios, un efecto que el vidrio potencia. En cambio, para beber bebidas calientes —té, agua, sake— en grandes cantidades el vidrio es un mal recipiente, pues se quiebra. Y si el recipiente es de vidrio grueso (como era el vidrio al principio), se rompe todavía con mayor facilidad.

Una segunda causa, que obviamente guarda relación con la anterior, es el desarrollo de la cerámica. Con una porcelana y una cerámica exquisitas, ¿quién necesita vasos o copas de vidrio? Ni siquiera se necesita vidrio para los demás utensilios: en vez de botellas utilizaban botes y cuencos de arcilla. Por lo tanto, la utilización del vidrio se limitó a imitar piedras preciosas y a pequeños y delicadísimos objetos de estilo satsuma, pero no se empleó en la fabricación de vasos, copas ni otro utensilio alguno. Como instrumento óptico, en su aplicación en lentes, prismas, gafas, etc., no experimentó ningún avance significativo hasta el siglo XVIII.

El vidrio, con todas sus connotaciones funcionales, se desvaneció en Japón, tal y como había sucedido en India y en China. Su uso quedó muy restringido, limitándose a cuentas, juguetes y objetos decorativos. La estética y lo ritual se imponían sobre su aplicación práctica. Ya argumentamos que las imprevistas consecuencias del vidrio sobre la ciencia, el arte y la idiosincrasia de Occidente debieron de ser inmensas. Tampoco sería descabellado afirmar que el hecho, de sobra conocido, de que en cada extremo del continente euroasiático surgieran cosmologías e ideologías tan diferentes fue en parte fruto de que en un extremo hubiera emergido una civilización impregnada de vidrio, y en el otro, una fundamentada en la cerámica y el papel.

La historia de lo que no pasó fuera de Europa occidental tiene una lectura teórica interesante. Gran parte de la humanidad no tuvo muchos motivos para desarrollar vidrio transparente, así que no servirá de mucho entretenernos en intentar explicar por qué no sucedió. No había motivo para que sucediera. Es ahora, al mirar hacia atrás y ver la enorme diferencia, al principio sutil, que el vidrio supuso para el mundo occidental, cuando nos preguntamos por qué no se desarrolló en otras civilizaciones. Escribir historia desde el retrovisor comporta sus peligros. Hasta que se han producido fortuitamente los avances científicos más recientes circunstanciales a la presencia del vidrio, no había ningún motivo por el que debiera sorprendernos el precario desarrollo del vidrio en países como India, China o Japón.

Hasta hace pocos siglos el vidrio se había utilizado básicamente para fabricar recipientes. Los chinos y los japoneses contaban con excelentes recipientes de arcilla, por lo que no necesitaban desarrollar vidrio. Los consumidores estaban contentos con la abundante oferta de recipientes de porcelana y cerámica, y es poco probable que los productores, el vasto imperio de talleres y alfareros, estuvieran dispuestos a ceder terreno a un material que requiere mucho más combustible (debido al coste de mantener el vidrio fundido durante largo rato) y que proporciona objetos menos resistentes y, en opinión de algunos, menos bellos. El vidrio requiere otras técnicas, y no hay razón de peso por la que otro pueblo debiera adoptarlas. En la mayoría de civilizaciones el poco vidrio que había se empleaba para hacer cuentas de colores. El vidrio transparente, que después resultaría fundamental en los instrumentos que permitirían ver el mundo de otra manera, no tenía apenas aplicación por motivos obvios. Así pues, según como se mire, no tiene demasiado sentido preguntarnos por qué los asiáticos orientales apenas tenían vidrio.

Aun así, por mucho que hubiera recipientes perfectamente aptos de otros materiales en el Lejano Oriente, también es cierto que en la región euroasiática occidental los recipientes que había no impidieron que se extendiera el nuevo material. En un mercado altamente competitivo, algo sucedía con la cerámica occidental que permitió que progresara la producción vidriera. La respuesta puede estar en la relativa calidad de la cerámica, en los usos que se dio a los recipientes (bebidas frías y calientes, por ejemplo) y en la organización y el estatus de los alfareros. Así, en una sociedad en la que los alfareros no estuvieran muy bien considerados, es posible que algunos perdieran terreno o cambiaran de oficio al encontrarse con vidrieros de Oriente Próximo mejor considerados y bien pagados. Los ceramistas japoneses y chinos, en cambio, gozaban de mucho prestigio.

Para complicar más la historia debemos recordar que los factores apuntados más arriba están interrelacionados. Los alfareros de Oriente debían en parte su autoridad a la excelencia de sus productos, que a su vez fue producto del azar. La prosperidad de la cerámica china fue en buena medida posible gracias a la fortuita presencia de dos materiales diferentes: el caolín y una roca feldespática llamada *petuntse*, de los que China poseía importantes yacimientos concentrados en las mismas zonas. El caolín da consistencia al objeto, mientras que el *petuntse*, también conocido como piedra de China, actúa como fluido y vidria los colores. Por lo tanto, existía la posi-

bilidad de producir excelente cerámica dura, densa, bella y trans-
lúcida. Los alfareros se valieron de las arcillas que encontraron a su
alrededor y vieron que con ellas obtenían el magnífico material que
conocemos como porcelana. El descubrimiento de la porcelana se
produjo probablemente al azar gracias a la presencia de porcelana
«natural» en China. Los resultados eran tan satisfactorios, que los
europeos se gastaron una fortuna en porcelana china. Los ceramistas que trabajaban con porcelana gozaban de muy buena posición
en la escala social.

En cambio, en Europa occidental estos materiales no eran tan
abundantes ni de tan buena calidad. Había otras arcillas, de las que
surgió una tradición alfarera menos sofisticada. Así pues, la presencia de unas arcillas u otras fue cuestión de suerte. Las trayectorias
de ambas tradiciones se separan muy pronto, como mínimo en la
época romana. Roma y después la Europa medieval optaron por
la cerámica y el vidrio, mientras que China y Japón prefirieron la
cerámica y el papel. Con el tiempo resulta más difícil cambiar el
rumbo. Por lo tanto, si alguien se pregunta por qué los chinos no
desarrollaron el vidrio, sería justo que también se preguntara por
qué los romanos no produjeron porcelana. Las ausencias, los caminos que no se siguieron, sólo causan extrañeza una vez han sucedido las cosas. No debe sorprendernos, pero las implicaciones para las
diferentes civilizaciones son en último término inmensas.

7

Choque de civilizaciones

Quien ve con ojo ecuánime, como Dios de todos,
perecer a un héroe o desplomarse un gorrión,
átomos o sistemas a la ruina condenados,
ve cómo revienta ora una burbuja, ora un mundo.

Alexander Pope, *An Essay on Man*

Veamos qué sucedió cuando el mundo imbuido de vidrio de Europa occidental influyó en Asia, a partir del siglo XVI. India es un caso aparte. Al principio las potencias coloniales europeas que se habían establecido en la zona satisfacían la demanda de productos de vidrio más complejos, como espejos y gafas, por ejemplo. Después la incorporación de India al imperio británico acabó con toda posibilidad de construir una industria vidriera poderosa e independiente. Nos centraremos en los dos casos en los que civilizaciones mayormente independientes de Oriente que habían seguido caminos diferentes al de Europa occidental se vieron de pronto invadidas por misioneros y mercaderes que traían consigo nuevos objetos de vidrio y los sistemas científicos y artísticos que, según la tesis que hemos defendido, el vidrio ayudó a generar. Comparando los casos de China y Japón, descubriremos nuevos matices sobre el desarrollo y el impacto de lo que solemos considerar una tecnología superior.

Empecemos por algo tan sencillo como la introducción de la tecnología de vidrio occidental en China desde el año 1600. Aunque se han hallado indicios de que la influencia occidental empezó a notarse antes, el punto de inflexión suele atribuirse al emperador Kangxi (1661-1722). Probablemente en la corte vio muestras de vidrio llegadas de Occidente, y en la década de 1680 o poco después fundó una cristalería en los talleres del palacio, supervisada al principio por misioneros jesuitas. Las técnicas utilizadas procedían en buena medida de Europa.

Los chinos no tardaron en empezar a fabricar objetos bellos y útiles. Como dijo el escritor jesuita Du Halde:

Imitan con bastante maestría cualquier cosa que se les lleve, aunque no la hayan visto antes. En estos momentos fabrican relojes de pulsera, relojes de pared, vidrio [...] y varios objetos que no conocían previamente o que hacían de manera muy imperfecta.

Estudios recientes señalan que todo el vidrio de este periodo se producía en la misma zona y que consistía en jarras, cuencos y tazas. El hijo del emperador trasladó la producción a la provincia de Shantung, probablemente porque era más rica en arena, potasa, carbón y cuarzo. Cuando el misionero Alexander Williamson visitó la zona en 1870, advirtió que se creía que el vidrio era «un viejo arte arraigado en la región, con varios hornos en el yacimiento principal y en los alrededores que suministraban a los mercaderes de Pekín vidrio para ventanas, botellas de varios tamaños, todo tipo de tazas moldeadas, linternas, cuentas y ornamentos, así como varillas de vidrio transparente y de color que se vendían a granel, supuestamente a lampareros y para utilizarlas como accesorios decorativos».

El hecho de que el centro de producción se alejara de Pekín, al que cabe añadir que probablemente sólo se fabricaba vidrio en una zona concreta de China, explica el declive de la producción vidriera que describe Gillan, que acompañó a la misión del embajador Macartney a finales del siglo XVIII. Observó que gran parte del vidrio de China se importaba de Occidente, lo que se debía, según él, a que en aquella época en China ya no se fabricaba vidrio. «Antes había una fábrica en Pekín bajo la dirección de misioneros, pero la abandonaron y ya no se fabrica vidrio en China.» No obstante, el material seguía utilizándose.

Es cierto que los artistas cantoneses recogen todos los fragmentos de vidrio europeo roto que encuentran, lo trituran y lo funden de nuevo en sus hornos; una vez fundido, lo soplan para obtener grandes globos que después cortan en piezas de diferentes formas y tamaños. Los utilizan sobre todo para hacer pequeños espejos y juguetes. Es el único tipo de vidrio que se hace ahora en China y, como al soplarlo lo dejan muy delgado...

Gillan completa la explicación comentando que «no parecen saber cómo se fabrica el vidrio ni cuáles son exactamente los materiales brutos que se utilizan. Importan de Europa las cuentas de vidrio y los botones de diferentes formas y colores, principalmente de Venecia». Todo parece indicar que la producción vidriera había vuelto a decaer, aunque a veces estos relatos incurren en incoherencias que reflejan las dificultades que los extranjeros tenían para entender este vasto imperio.

Encontramos otro indicio del hundimiento de la industria en el siglo XVIII en la historia de la pintura sobre vidrio. Los cuadros, pintados en el reverso del vidrio con excelente factura técnica y calidad artística, generaron una importante y próspera industria de exportación en la China del siglo XVIII. Probablemente también fueron los jesuitas los que introdujeron esta técnica. El vidrio sobre el que pintaban los cuadros se importaba de Occidente.

Lo más fascinante e importante sobre la diferente evolución del conocimiento fidedigno en ambos extremos del continente euroasiático es la influencia de los instrumentos de vidrio europeos en la medición y la vista. En 1738 Du Halde publicó varios testimonios de jesuitas extraídos de libros y cartas originales del siglo XVII. La curiosidad del emperador K'ang-hsi permitió a los misioneros presumir de sus artilugios.

Primero le enseñaron cómo funcionaba la óptica; le mostraron un semi-
cilindro bastante grande de madera muy ligera con un espejo convexo
encajado en el centro del eje, y al volver el espejo hacia cualquier objeto, la imagen de éste reflejada tal cual en el tubo.

Esta manera de captar una imagen no era más que una de las muchas que se habían descubierto en Occidente.

El padre Grimaldi ofreció otra maravilla óptica en el Jardín de los Jesuitas de Pekín que dejó boquiabiertos a todos los grandes del imperio. Pintó en las cuatro paredes una figura humana de la misma longitud que el
muro, de quince metros. Como había cumplido a rajatabla las reglas, al
frente no se veían más que montañas, bosques, carrozas y objetos similares; sin embargo, a partir de cierta distancia, podía verse la figura de un
hombre, perfectamente formado y bien proporcionado.

El vidrio, y en particular los espejos, cumplían una función importante.

Sería demasiado aburrido mencionar todas las figuras que se confundían
en la pintura y que, sin embargo, a partir de determinada distancia se dis-
tinguían claramente, o que cobraban sentido con la ayuda de espejos có-
nicos, cilíndricos y piramidales; así como las numerosas maravillas ópticas
que Grimaldi presentó a los genios más destacados de China, que despertaron igual sorpresa y admiración.

No fueron éstos los únicos instrumentos de vidrio que se mostró
al emperador.

Llevaron al emperador todo tipo de telescopios y vidrios catóptricos que
permitían observar los cielos y la tierra, medir pequeñas y grandes distancias, y reducir, ampliar, multiplicar y unir los objetos. Después le enseñaron otros instrumentos. Primero, un tubo con forma de prisma oc-

togonal que si se colocaba paralelo al horizonte, mostraba ocho escenas diferentes, y eran tan vivaces, que habría sido fácil confundirlas con los objetos mismos; este instrumento, unido a la variedad de la pintura, entretuvo al emperador durante largo rato. Luego le mostraron otro tubo, en cuyo interior había un vidrio poligonal, que en sus diferentes caras recogía partes de objetos diferentes y componía una imagen; así, en vez de naves terrestres, bosques, bandadas de pájaros y los otros cientos de objetos representados en el cuadro, aparecía un rostro humano, un hombre de cuerpo entero o cualquier otra figura claramente distinguible y totalmente fidedigna.

Tampoco le mostraron sólo instrumentos ópticos.

También enseñaron al emperador termómetros que indicaban los grados de calor y de frío. Y un precioso higrómetro para saber los grados de humedad y sequedad.

La experiencia fue muy gratificante para los misioneros, pues los chinos tuvieron que plantearse su sentimiento de superioridad.

Todos esos inventos del ingenio humano, hasta entonces desconocidos para los chinos, los obligaron de algún modo a comerse su orgullo.

Más difícil de demostrar, aunque en general parezca obvio, es cómo influyó el disponer o no de instrumentos científicos de vidrio en la evolución del conocimiento a ambos lados del continente euroasiático, tanto en lo que llamamos ciencia como en el arte. Du Halde nos da algunas pistas. Los jesuitas utilizaban algunos instrumentos de vidrio para demostrar que sabían más, y no sólo como hemos visto más arriba. Hasta cierto punto también demostraron su superioridad en astronomía. Según Du Halde, las matemáticas estaban mucho menos desarrolladas que en Occidente, lo que quizá guardaba relación con el retraso de los chinos en óptica.

En cuanto a la geometría, es muy superficial; están muy poco versados tanto en la teoría, que demuestra la verdad de proposiciones llamadas teoremas, como en la práctica, que enseña a aplicar estos teoremas mediante la resolución de problemas. Salvo la astronomía, las demás ramas de las matemáticas eran totalmente desconocidas para los chinos; hasta hace poco más de un siglo no empezaron a darse cuenta de la ignorancia que los separaba de los misioneros llegados a China.

El jesuita también insinúa que la integración de las matemáticas en las artes visuales guardaba relación con el vidrio: el sentido de la perspectiva. Todo esto es fascinante, aunque algo exagerado.

Por importantes que sean las implicaciones de lo que escribió Du Halde, estas afirmaciones sobre el vidrio no son más que una parte de la historia. El jesuita pasó por alto la influencia de los microscopios. Ni menciona los efectos del vidrio en las ciencias químicas. Tampoco explica cómo había evolucionado el conocimiento fidedigno en China en los siglos precedentes. Hay un hecho curioso: si bien los chinos contribuyeron a un considerable desarrollo de la óptica en los primeros tiempos, hasta el punto, según parece, de alcanzar en el siglo XIII el mismo nivel de sofisticación y conocimientos que los griegos, después se quedaron estancados y eludieron los descubrimientos que primero se produjeron en la óptica islámica y que después aportó la óptica de Europa occidental. Recientemente los expertos han coincidido en señalar que la óptica china se basaba en la observación empírica y que adolecía de abstracción teórica y descripción cuantitativa escasas. En consecuencia, cuando los frutos de la óptica árabe y europea, obtenidos gracias a los experimentos realizados con vidrio, llegaron a China, a partir del siglo XVII, sacudieron los cimientos de la óptica tradicional.

El impacto de las tecnologías del vidrio occidentales adquiere otro cariz si nos fijamos en el caso de Japón, que demuestra tres cosas. En primer lugar, confirma que en China el vidrio no se utilizó con fines científicos hasta la llegada de los jesuitas. Desde el punto de vista tecnológico, Japón dependía enormemente de China, a la que emulaba en cuanto se producía algún avance. Si los instrumentos de vidrio hubieran sido de uso corriente en China, Japón los habría importado. Sin embargo, el vidrio lo importaron los occidentales, en particular los portugueses y los holandeses. Esto es indicativo de que en China no se había desarrollado.

Una segunda idea que podemos inferir es que para cambiar una actitud hacia el conocimiento no bastan los utensilios. En China el impacto de los jesuitas con sus maravillas fue casi nulo; los relojes e instrumentos de vidrio se conservaron principalmente como curiosas piezas de museo, y su influencia apenas se dejó sentir en los siglos siguientes. En cambio, los japoneses llevaban siglos importando nuevas ideas y tecnologías de su enorme país vecino, lo que quizá ayude a explicar por qué sintieron tanta fascinación por los instrumentos de vidrio occidentales, los absorbieron con tanta rapidez y modificaron su manera de entender el mundo.

Por último, en un minucioso y reciente estudio de Timon Screech sobre Japón y el uso de instrumentos de vidrio con fines científicos vemos hasta qué punto un proceso gradual y en gran medida invisible de acumulación de conocimientos, como el que se produjo en Occidente a lo largo de varios siglos, pudo marcar la diferencia. El encuentro entre ambas civilizaciones fue intenso y relativamente breve, por lo que destacan algunos de sus principales aspectos. El encuentro entre sistemas visuales también nos recuerda que el hecho de que no se desarrolle el vidrio nada tiene que ver con la habilidad técnica. En cuanto descubrieron su utilidad, como había sucedido antes con las armas, los japoneses empezaron a fabricar un vidrio excelente.

Tenían tal habilidad técnica, que si era preciso, eran capaces de utilizar el vidrio para cualquier fin. Cuando la situación lo requería, por ejemplo, sabían fabricar instrumentos científicos sin ningún problema. En la década de 1790 Thunberg observó que «al mismo tiempo saben tallar el vidrio y construir telescopios, para lo que compran espejos a los holandeses». En cuanto a los microscopios, Screech explica cómo se convirtieron enseguida en un símbolo de erudición occidental (*rangaku*). Los importaron desde el siglo XVII y recibían el nombre de *mikorosukopyumu*. En este relato de un japonés se observa el asombro que le causó mirar a través de un microscopio:

Enfocamos varios objetos y los miramos por el microscopio. La claridad con que se veían los detalles era extraordinaria. Los cristales de sal tenían forma hexagonal, mientras que la harina de trigo sarraceno (hasta la más molida) se veía triangular. La mecha de una vela parecía una esponja vegetal, y el moho tenía forma de hongo; el agua recordaba a hojas de cáñamo estriadas, el hielo tenía urdimbre y trama; el sake parecía agua hirviendo con todas aquellas burbujas...

Al igual que en Occidente, bajo la superficie de la realidad emergió de repente un mundo invisible, enmarcado y enfocado por el microscopio. Los primeros microscopios se exhibían en ferias itinerantes, y los manuales de instrucciones se imprimían en japonés.

El vidrio se utilizaba cada vez más en química para las retortas, las cápsulas, los matraces y los tubos. También se empleaba para almacenar muestras. Según nos han explicado, los recipientes con formas «técnicas» recibían el nombre de *forsake* (matraces), mientras que los que se asemejaban más a las copas de vino se llamaban *koppu* (copas). Los japoneses, a diferencia de muchas otras culturas, pasaron rápidamente de la admiración y la fascinación que les despertó el vidrio a ver su utilidad. Tal como observó un escritor japonés del siglo XVIII:

Al principio el material se disfrutó sólo por los destellos y el brillo, pero recientemente se ha visto que no debería utilizarse sólo en juguetes. Se han hecho jarras y botellas, que se han utilizado para guardar cosas. En su interior los productos conservan indefinidamente sus propiedades originales (*honsei*); así guardadas, las medicinas y las fragancias pueden durar mucho tiempo.

Otro uso que se daba al vidrio eran las gafas, cada vez más corrientes, aunque su empleo chocaba con el protocolo de los japoneses, ya que se consideraba que favorecían la mirada directa y grosera.

Sería sin duda una ligereza argumentar que todo el conocimiento científico o artístico exacto se debe al vidrio. Los formidables avances del conocimiento fidedigno que experimentó China hasta el siglo XIV han sido bien documentados por Joseph Needham y otros. La brújula magnética, el cuadrante, el astrolabio e incluso el reloj mecánico no precisan del vidrio. No obstante, todo indica que sin este misterioso material se cierran muchas vías. La entusiasta reacción de los japoneses y la indiferencia de los chinos ilustran cómo su uso depende de factores culturales y sociales no tan evidentes. De lo que no cabe duda es de que quienes participaron en esta gran confrontación de civilizaciones entre los siglos XVI y XIX y escribieron sobre estos temas dieron fe de que el mundo occidental, cada vez más dominado por el vidrio, se topó con civilizaciones que habían dejado de utilizarlo. El asombro de los chinos mandarines al ver los instrumentos científicos de los jesuitas y las pinturas con perspectiva es el paradigma de hasta qué punto se habían alejado estas dos mitades del continente euroasiático.

El alejamiento de las dos mitades del continente euroasiático y su forzado encuentro posterior también se observa en la historia del arte de China y Japón. El testimonio de Michael Sullivan en *The Meeting of Eastern and Western Art* revela algunas diferencias entre el arte occidental posterior al Renacimiento y el arte de Asia oriental. El hecho de que la revolucionaria transformación marcada por la perspectiva y el realismo tuviera lugar sólo en las zonas donde los artefactos de vidrio eran de uso corriente y no en China ni Japón es, y en esto convenimos, más que una coincidencia.

Sullivan cita varios testimonios tempranos de occidentales que visitaron Oriente. Un mercader árabe que visitó China en el siglo IX comentó que «a los chinos Dios les concedió el don supremo de la habilidad manual con la pintura y las artes de la fabricación». En el siglo XIII Marco Polo describió un castillo con el vestíbulo decorado «con retratos de calidad admirable de todos los reyes que habían reinado hasta entonces en la provincia». Cincuenta años después Ibn Battuta escribió que el «pueblo de China destaca de toda la humanidad por ser el que posee una mayor habilidad y un gusto más refinado en las artes. Se admite como un hecho y muchos autores han insistido en él en sus libros. En pintura ningún pueblo, cristiano u otro, ha superado a los chinos. Su talento artístico es extraordinario». Con todo, Sullivan señala que Battuta se refería no a las pinturas de los eruditos, sino a las de los pintores profesionales de los puestos fronterizos contratados para pintar retratos para los turistas.

En una primera época la habilidad de estos pintores implicaba conocer algunas de las principales técnicas utilizadas en el arte renacentista. En el antiguo arte budista de Asia central encontramos la representación de volúmenes empleando dos tonos y la utilización de sombreados para imprimir relieve. Estas técnicas se imitaron tanto en China como en Japón, pero siempre se consideraron técnicas extranjeras. En cuanto el budismo perdió fuerza, también la perdieron los claroscuros y la perspectiva que marginalmente había adoptado el arte de Asia oriental. El desvanecimiento de técnicas no tan alejadas de las descubiertas en la Europa del Renacimiento puede observarse claramente en un famoso ejemplo de la China de principios del siglo XII.

El escorzo, el sombreado y los puntos de fuga aparecen en una pintura en rollo muy realista llamada *Festival Ching Ming sobre el río*, pintada por Chang Tse-tuan entre 1100 y 1130. El espacio es tridimensional, pero en vez de utilizar la perspectiva desde un único punto fijo, como se desarrollaba en Occidente, la pintura muestra la escena tal como la veía un ojo en movimiento. Con todo, este primer paso hacia la perspectiva se abandonó. También encontramos ejemplos de pinturas al óleo, como las que decoran el santuario de Tamamushi del siglo VIII, igualmente abandonadas. El realismo y los calcos de la realidad se consideraban vulgares y poco apropiados para el pintor erudito. El artista chino Gong Xian (1619-1689), citado por Clunas, explicó la diferencia:

En tiempos antiguos había pinturas (*tu*) pero no cuadros (*hua*). Las pinturas muestran objetos, retratan a personas o transcriben acontecimientos. Esto no es necesariamente así en los cuadros [...] [Para pintar un cuadro] se emplea un buen pincel y tinta antigua, y se pinta sobre un pedazo de papel antiguo. Los objetos pintados pueden ser colinas nubladas y arboledas brumosas, pedruscos afilados y cascadas frías, puentes de madera y casas rústicas. Pueden también aparecer figuras, pero no necesariamente. Insistir en un motivo concreto o representar un acontecimiento muestra muy poca clase.

El objetivo de los cuadros no era representar con realismo el mundo natural, sino transmitir una parte de su esencia más profunda y espiritual. La idea no era imitar la naturaleza, sino utilizar el arte como una manera de comunicar al corazón y los sentimientos del espectador a través de símbolos.

No es de extrañar, por tanto, que chinos y occidentales se sorprendieran cuando a principios del siglo XVII el famoso misionero Matteo Ricci llevó a China obras de arte renacentista. Sullivan cita a Ricci diciendo:

Los chinos utilizan mucho el dibujo, también como arte, pero no poseen el dominio técnico de los europeos, ni en dibujo ni sobre todo en escultura y moldeado. Desconocen totalmente el arte de pintar al óleo y el uso de la perspectiva en sus dibujos, lo que resta vitalidad a sus creaciones.

Estas opiniones, aunque presuntuosas, las recoge también Gu Qiyuan en un libro publicado en 1618, tras la muerte de Ricci, y citado por Clunas. Describe una de las pinturas que había llevado Ricci:

El Señor de los Cielos aparece representado como un niño pequeño en brazos de una mujer llamada «Madre Celestial». Está pintado sobre un panel de cobre, con cinco colores. La cara parece que vaya a cobrar vida; el cuerpo, los brazos y las manos parecen sobresalir del panel; los recovecos de la cara no difieren de los de una persona real.

Cuando le preguntaron cómo conseguía la pintura este efecto, Ricci respondió:

En la pintura china sólo se pinta la luz (*yang*), pero no la sombra (*yin*). A la vista, esto hace que las caras resulten totalmente planas, sin fisonomía cóncava ni convexa. La pintura de mi país combina el *yin* y el *yang* para que las caras posean partes más y menos prominentes, y para dar a los brazos su forma redondeada [...] Los pintores de retratos de mi país conocen este principio, y lo utilizan para que la efigie pintada sea como la de la persona de carne y hueso.

Como comentó un siglo después Chiang Shao-shu, citado por Sullivan, la pintura muestra a «una mujer con un niño en brazos. Las cejas, los ojos y los pliegues de la ropa son tan diáfanos, que parecen reflejados en un espejo y moverse libremente. Es de una majestuosidad y una elegancia que no encontramos en los pintores chinos».

Aun así Ricci no persuadió a los eruditos chinos de que cambiaran sus antiguas tradiciones, y el episodio pareció caer en el olvido. Sólo así se explica la sorpresa cuando los jesuitas mostraron su arte al emperador setenta años después, tal como explicó Du Halde:

Tampoco se olvidó la perspectiva: P. Bruglio entregó al emperador tres bocetos ejecutados conforme a las reglas y los colgó a la vista de todos en el Jardín de los Jesuitas de Pekín. Los mandarines, que acudieron en masa a la ciudad desde todos los rincones del imperio, se acercaron a verlos atraídos por la curiosidad y quedaron todos igual de sorprendidos por lo que vieron; no entendían cómo se habían podido representar sobre una tela vestíbulos, galerías, pórticos, caminos y avenidas que se alejaban hasta donde alcanza la vista, y de manera tan natural, que a simple vista conseguían engañar al ojo.

No cabía duda de que la diferencia entre ambas tradiciones artísticas era inmensa, y los expertos chinos se hacían eco de ella. A principios del siglo XVIII, por ejemplo, Sullivan cita al paisajista Wu Li hablando de algunas diferencias entre el arte chino y el occidental:

Nuestra pintura no busca el parecido físico [*hsing-ssu*] ni depende de patrones fijos; para nosotros es «divina» y «libre de ataduras». La suya se fija únicamente en los problemas de la luz y la oscuridad, el frente, el fondo y cánones fijos que priman el parecido físico.

Una vez más, la influencia de la nueva oleada de apóstoles del arte occidental quedaba prácticamente en nada. Las técnicas del realismo, la perspectiva y el sombreado llegaron al escalafón más bajo de los pintores artesanos, pero fueron desdeñadas por el arte erudito. Desde finales del siglo XVII hasta mediados del siglo XIX volvieron la espalda a la tradición occidental. El artista de corte Tsou-I-kuei, citado por Sullivan, resumió con estas palabras el terrible defecto del que adolecía el arte occidental:

Los occidentales dominan la geometría, por lo que no cometen el más mínimo error a la hora de representar la luz y las sombras [*yang-yin*] y las distancias (cerca y lejos). En sus cuadros todas las figuras, los edificios y los árboles proyectan sombras; el trazo y los colores son completamente diferentes de los que emplean los pintores chinos. Los paisajes, anchos al frente, se estrechan hacia el fondo, y están definidos (medidos matemáticamente). Cuando pintan casas sobre un muro, la gente está tentada de entrar. Los estudiantes pueden aprender a dominar una o dos técnicas y hacer que sus pinturas sean más atractivas. No obstante, estos pintores carecen de gracia con el pincel; poseen la habilidad, pero no son más que meros artesanos [*chiang*], y por lo tanto no pueden considerarse pintores.

Como comenta Sullivan, «para el pintor noble de China, inspirado por la triple síntesis entre pintura, poesía y caligrafía, ¿qué tenía de arte el laborioso realismo de las pinturas al óleo?».

La conservación de una tradición ancestral, en muchos aspectos similar al arte occidental del primer medievo, nos da una idea del empuje que se requirió en Occidente entre Giotto y Leonardo para que prosperara una tradición artística completamente distinta. No es absurdo afirmar que sin los avances logrados gracias a la utilización del vidrio, básicos para el desarrollo de la óptica occidental, la revolución tampoco habría cuajado en Occidente.

El arte japonés es heredero de una tradición tan ancestral como la china, con más de quince siglos de antigüedad. Al igual que el arte chino, el arte clásico japonés no se volcó en el realismo, sino en transmitir simbólicamente verdades trascendentales. Henry Bowie describió muchas de sus características más importantes. Los artistas no perseguían «la precisión fotográfica ni la distracción de los detalles»; pintaban más lo que sentían que lo que veían. Aunque el artista se decidía a menudo a estudiar pequeños detalles de insectos, flores, pájaros, peces o cualquier otra cosa, luego los incorporaba mediante una serie de técnicas sistematizadas cuyo objetivo no era reproducir la naturaleza.

Había muchas reglas. Las montañas bajas en un paisaje sugerían lejanía, por lo que al monte Fuji no debía dársele demasiada altura para que no desmereciera pareciendo estar demasiado cerca. Ocho preceptos diferentes regían la representación de rocas, acantilados y elementos similares. La vestimenta, con sus pliegues y sus líneas, podía pintarse de dieciocho maneras distintas. El artista estaba muy limitado por un código que marcaba cómo debían ejecutarse las pinturas. El mundo natural servía de guía, pero el arte se basaba en buena medida en aplicar varias teorías y preceptos.

Otra limitación que pesaba sobre la pintura era el uso de la acuarela. Empleaban pinceles blandos sobre papel muy absorbente, lo que obligaba a pintar con gran celeridad. En este sentido la pintura apenas se distinguía de la escritura y la caligrafía. No utilizaban caballetes; el artista se sentaba en el suelo con el papel o la seda extendidos ante sí sobre algún material blando. Bowie describe así la técnica en manos de un maestro:

Para los paisajes la regla general es pintar primero lo que está cerca y después lo que está lejos. Kubota aplicaba este método a toda velocidad, intentando empapar bien el pincel en agua antes de introducirlo en el *sumi* para hacerlo de una sola vez; de este modo el *sumi* se iba diluyendo cada vez más, y al agotarse el efecto de cercanía, se obtenía la perspectiva de las distancias medias y largas.

La técnica era del todo diferente de la empleada en las pinturas al óleo en Occidente, que permitía corregir errores y añadir detalles.

Además de pintar con rapidez y sin dudar, había que hacerlo de memoria, no del natural. Otto Rasmussen, que vivió muchos años en China, explicó cómo pintaban los paisajistas chinos: «Se limitaban a pasear y a sentarse para meditar, y luego regresaban a sus estudios sin boceto o dibujo en sucio que traspasar a sus cuadros». Esto tal vez nos ayude a contextualizar una historia que Gombrich narra en *Arte e ilusión*:

James Cheng, que enseñó pintura a un grupo de chinos adiestrados en diferentes convenciones, me contó una vez una excursión con sus alumnos para dibujar un paisaje famoso por su belleza, uno de los antiguos portales de Pekín. La tarea propuesta los dejó perplejos. Por fin, un estudiante pidió que le dieran una postal del edificio, para tener por lo menos algo que copiar.

En esta antigua tradición irrumpieron los recién llegados occidentales con su perspectiva geométrica y su arte realista, sus claroscuros, su atención a los detalles y a la proporción. Ahora bien, los japoneses no reaccionaron como los chinos. Aunque creían que entre su elevado arte y la tradición renacentista occidental mediaba un

abismo, se sintieron más atraídos por las nuevas técnicas que sus vecinos, y en ocasiones las adoptaron con resultados satisfactorios.

Sullivan ofrece varios ejemplos de pinturas japonesas en los que
la perspectiva está lograda. A finales del siglo XVIII Kokan se sin-
tió fascinado por el realismo occidental e incluso construyó una
camera obscura para mejorar la perspectiva de sus dibujos. Escribió
que «si uno pinta siguiendo sólo los ortodoxos métodos chinos,
ningún cuadro parece el monte Fuji». Sólo quedaba una solución.
«Para representar fielmente el monte Fuji», declaró, «hay que recurrir a las técnicas de pintura holandesas.» A lo largo del siglo XVIII
la perspectiva se extendió bastante en la pintura japonesa. Encontramos ejemplos significativos en varias obras de dos de sus expo-
nentes: Utamoro y Hokusai.

Podríamos dejar la historia aquí, pues hemos expuesto ya varios motivos por los que en cada uno de los extremos del continente euroasiático se siguieron trayectorias diferentes. La auténtica pintura
china y japonesa se proponía crear una superficie desde la que transmitir significados simbólicos y profundos, no reflejar como un espejo las formas externas de la naturaleza. Los materiales empleados,
el papel absorbente plano sobre el suelo y los grandes pinceles em-
papados de tinta china obligaban a ejecutarla con agilidad y sin
interrupciones a partir de recuerdos almacenados en la memoria
y siguiendo unas normas. Estas normas, que establecían cómo conseguir determinados efectos, eran conocidas tanto por los artistas
como por los espectadores, y dictaban qué debía figurar en los cuadros y cómo debía representarse. Esta explicación podría parecer
suficiente. Las normas y los cuadros están ahí. Al fin y al cabo, las
mismas finalidades, técnicas y normas habían imperado en el mundo entero, incluida Europa occidental, hasta el siglo XIV. En ellas
se basa toda la producción artística que se ha conservado de entonces. No hay por qué suponer que los griegos o los pintores medievales de iconos pintaban de una u otra manera por características concretas de sus ojos.

Con todo, en el caso chino puede que haya un segundo factor prácticamente imperceptible. Resultaba imperceptible porque apenas había necesidad de invocarlo. Todo tenía explicación, o al menos eso parecía. Sin embargo, puede que sea un motivo secundario o que refuerce la dinámica creada por los demás factores. Según Rasmussen:

La teoría de que los pintores chinos, casi siempre poetas y filósofos eruditos [...] pintaban el espíritu en vez de la materia no explicaría por qué en sus pinturas los motivos situados en un primer plano son tan detallados, casi fotográficos, y por qué los fondos son brumosos.

Rasmussen observa que los artistas chinos «representaban con detalle los objetos cercanos, y cuanto más alejados estaban, más los difuminaban». Si atribuyéramos esta técnica a algún tipo de «impresionismo espiritual», «no se explicaría por qué podían o querían "memorizar" y representar con tanto detalle los objetos que se encontraban más cerca. Tampoco se explicaría por qué sólo abordaban espiritualmente los objetos situados al fondo, no los objetos situados al frente».

Lo que Rasmussen sugiere con esta compleja argumentación es que estos artistas estaban haciendo de la necesidad virtud. Muchos eran miopes, de modo que hasta que se inventaron las gafas no habrían podido pintar como Van Eyck o Leonardo aunque hubieran querido.

Antes de descartar esta insinuación por absurda indaguemos un poco más. Si uno es miope o se pone gafas que simulen los efectos de la miopía, verá que la única manera de pintar es la que utilizaban los chinos. El pintor tiene que confiar casi por completo en la memoria y en el ojo interior, recurrir a las fórmulas, hacer virtud de la representación sistematizada (preferiblemente difusa) de los objetos de mayor tamaño. Tiene que acercarse mucho a los objetos (incluidas otras pinturas) y luego regresar al puesto de trabajo y pintar confiando en la memoria. Lo que acabará pintando será una reconstrucción idealizada de los detalles de los insectos, las flores o las personas. Además, si trabaja sobre un gran rollo de papel y sólo ve con nitidez a unos veinticinco centímetros, la parte más alejada de lo que está pintando ya la ve borrosa. Por último, como las pinturas se desenrollan (no se cuelgan en la pared, como en Occidente), si el privilegiado espectador también es miope, verá en la pintura la escena tal como la habría visto al natural: con detalle lo que está en primer plano, y borroso el fondo. De hecho puede que ni siquiera vea bien la pintura. Esto daría un nuevo giro a la queja de un viejo artista, citado por Binyon, que decía que «la gente siempre mira los cuadros con los oídos en vez de con los ojos».

El arte chino y el japonés son famosos por el extraño difuminado con que se representan los objetos más o menos alejados. En este aspecto se aleja del arte de otras grandes tradiciones pictóricas, como la islámica y la bizantina. La congruencia entre este misterioso e indefinido estilo de representación y lo que encontraríamos en una élite de artistas en su mayoría miopes da que pensar. El grado en que estos aspectos guardan relación entre sí depende evidentemente de en qué medida se puede demostrar que en China y Japón había un elevado nivel de miopía. De poderse demostrar, daría una última vuelta de tuerca a la historia de la visión, ya que redundaría en la idea de que el vidrio reforzó la vista occidental y sugeriría que la vista en Oriente adolecía de problemas a gran escala para ver los objetos en la distancia. Una vez más veremos las diferencias comparando civilizaciones que disponían de abundante vidrio con otras que apenas lo utilizaban.

8

El dilema de las gafas

¿Por qué no tiene el hombre un ojo microscópico?
Por la sencilla razón de que el hombre no es una mosca.
¿Para qué sirven entonces los más avanzados artilugios ópticos?
¿Para inspeccionar un mosquito, sin entender antes el cielo?

Alexander Pope, *An Essay on Man*

Por ironías de la vida, a la edad en la que se suele alcanzar la madurez intelectual, entre los cuarenta y los cincuenta años, a muchas personas les resulta imposible seguir leyendo sin gafas. Tienen que sostener el texto a tanta distancia, que no consiguen distinguir las letras. El progresivo deterioro de la vista supuso un grave inconveniente hasta el siglo XV, muy especialmente para las administraciones y las empresas, que perdían a los empleados que mejor sabían leer y llevar la contabilidad cuando les fallaba la vista. Con la revolución de la imprenta y la difusión de libros para uso académico y disfrute personal los problemas de visión se volvieron todavía más limitantes. Por lo tanto no debe sorprender que las gafas experimentaran un fuerte impulso precisamente en una época de bonanza económica y desarrollo burocrático. Las gafas, formadas por dos lentes biconvexas suspendidas sobre la nariz y que ayudaban a ver a personas mayores con problemas de vista a cierta distancia (presbicia), se inventaron probablemente alrededor del año 1285 en el norte de Italia, y su uso se extendió rápidamente por toda Europa unos cincuenta años antes de que Gutenberg inventara la imprenta móvil de metal, a mediados del siglo XV.

El invento de las gafas tuvo enormes consecuencias en Europa occidental. Alargó la vida intelectual y profesional de los trabajadores por lo menos quince años. Como han señalado algunos historiadores, el impulso del saber a partir del siglo XIV podría perfectamente guardar relación con este punto. Gran parte de la obra de grandes escritores como Petrarca no se habría completado de no haber existido los primeros anteojos. También los artesanos, que suelen dedicarse a trabajos de detalle, vieron casi doblada su vida activa. La importancia de las gafas aumentó a partir de mediados del siglo XV gracias a otro revolucionario invento tecnológico que aceleró su difusión: la impresión mediante tipos móviles. Como es lógico, la necesidad de que la gente mayor pudiera leer la letra de los tipos metálicos, siempre del mismo tamaño, aceleró el perfeccionamiento y la difusión de las gafas, a la vez que la disponibilidad de las mismas animaba a los impresores a creer que podían llegar a un público más amplio.

El invento y la difusión de las gafas con lunetas de vidrio pueden parecer inevitables hasta que salimos de Europa occidental y observamos qué sucedió en Oriente. Nuestra sorpresa será mayúscula. Por lo que sabemos, hasta alrededor del siglo XVII, como muy pronto, ninguna cultura desarrolló gafas de vidrio fuera de Europa. En las civilizaciones islámicas, en India, en China y en Japón eran prácticamente desconocidas hasta que las importaron los europeos, a partir del siglo XVII. ¿Por qué quedó confinado este invento a un solo extremo del continente euroasiático? Hay varias teorías. Una es que, por lo menos en el caso de los chinos, existía una alternativa natural que podía utilizarse en lugar de las gafas, y que de hecho a veces se utilizaba: el cristal de roca. Aun así, parece ser que las pocas gafas que llegaron a fabricarse no tenían lentes; estaban formadas por simples placas planas que protegían la vista.

Intentemos buscar explicación a esta desconcertante ausencia deteniéndonos por un momento en el caso japonés. Los japoneses sabían por sus vecinos chinos que existía un artilugio de alambre que se colocaba frente a los ojos con dos cristales de roca. En los siglos VIII y IX habían fabricado ya productos de vidrio soplado de gran calidad. Hoy en día muchos japoneses llevan gafas o lentillas, quizá son incluso el país en que más se utilizan, y no parece probable que se deba a un fenómeno reciente. Cuando empezaron a fabricarse gafas a gran escala, se hicieron muy populares. La viajera Isabella Bird arrojó incidentalmente algo de luz sobre esta cuestión en la década de 1880: «El cuerpo de policía en Japón está formado por 23.000 hombres instruidos en la flor de la vida, y que el 30 por ciento de ellos lleve gafas no les resta utilidad». Por lo tanto, a finales del siglo XIX había una enorme demanda de gafas. Además, sabemos que las enfermedades oculares y el cuidado de los ojos estuvieron muy extendidos en Japón, donde era frecuente limpiárselos constantemente. Con todo, por lo que hemos podido descubrir, las gafas apenas se utilizaron hasta el siglo XIX. Seguimos sin saber la respuesta a la fascinante pregunta de por qué no se desarrollaron antes.

El enigma nos lleva de nuevo a China, de donde Japón importó sus principales avances tecnológicos hasta el siglo XIX. Encontramos las referencias más antiguas a la utilización de gafas de doble lente de vidrio en los escritos de Ming (entre mediados del siglo XV y el XVI), y en todos los casos se trata de gafas importadas de Occidente. En escritos anteriores hallamos referencias a materiales oscuros (a menudo cristal «de té») que se empleaban para proteger los ojos de la luz deslumbrante y la suciedad, para curar (atribuían propiedades mágicas al cuarzo) y para que los jueces pudiesen disimular sus reacciones ante los litigantes que comparecían en los tribunales. A mediados del siglo XVII el uso de gafas de vidrio empezó a estar más extendido.

Esta tradición de dar importancia a las gafas tanto como marca de clase social y protección ocular como para contrarrestar el deterioro de la vista que acarrea el envejecimiento se mantuvo hasta finales del siglo XVIII. Así se observa en un pasaje de Gillan en el que explica su viaje con la misión del embajador Macartney, de 1793-1794: «Los chinos utilizan mucho las gafas [...] Están todas hechas de cristal de roca». Y continúa diciendo:

Examiné muchos vidrios pulidos para gafas antes de que los colocaran en la montura, pero no detecté en ellos variaciones de forma; todos me parecieron igual de planos, con lados paralelos. Los trabajadores que los hacían no parecían conocer ninguno de los principios ópticos para darles diferentes formas y que se adaptasen a los diversos defectos de la vista.

En 1868 el misionero Williamson observó cómo se fabricaban gafas a partir del cristal de roca extraído de la provincia de Shantung. Citando su obra, Hommel escribe a principios del siglo XX: «Me dijeron en Tsingtao que Zeiss había conseguido en la zona el cristal de roca para los instrumentos ópticos de los famosos trabajos que lleva a cabo en Jena». Y añade: «Los oftalmólogos chinos revolucionaron hace muy poco su oficio introduciendo métodos extranjeros para medir la vista y ajustar las lentes de vidrio en función de los resultados de las pruebas». Hommel se pregunta por qué, habiendo introducido los europeos las gafas de vidrio en China en el siglo XV, «dieron los chinos el revolucionario paso de abandonar el uso del vidrio en las lentes y utilizar en su lugar un material poco adecuado para este fin». Nos encontramos ante otro misterio que resolver. Los chinos habían pensado en la posibilidad de proteger la vista. Según Joseph Needham, también conocían el concepto de lupa. ¿Por qué esperaron a importar de Occidente la idea de las gafas de aumento? ¿Por qué utilizaron tan poco las gafas una vez las tuvieron?

Otto Rasmussen se crió en China a finales del siglo XIX y le impactaron los mendigos ciegos de Shanghai. La agresiva luz de las arenas chinas le provocó ceguera temporal por deslumbramiento. Se formó como cirujano oftalmólogo en Estados Unidos y, tras dedicarse a la investigación en China durante veinticinco años, desde 1908, escribió una valiosa obra sobre la salud ocular china.

Creía que el hecho de que no hubieran utilizado las lentes para contrarrestar defectos de visión se debía en parte al precario desarrollo del vidrio en China. Habría sido extraño que hubieran pasado de apenas utilizar el vidrio a hacer los experimentos con lentes que encontramos en Occidente. Puede que esto lo explique todo. Sin embargo, nos gustaría examinar otra hipótesis bastante extraordinaria que también sugiere Rasmussen en su obra, aunque él no estableció la relación.

Para ello debemos analizar con más detenimiento qué esperaban que el ojo leyera y las variaciones de la vista. Al estudiar objetos destinados a mejorar la visión, conviene recordar cómo se imprimía en cada extremo del continente euroasiático. Los chinos y los japoneses imprimían con bloques de madera, que podían fabricarse fácilmente en varios tamaños y volverse a dibujar siempre que se quisiera. En Occidente, en cambio, se había desarrollado una imprenta, basada en la utilización de caros tipos móviles de metal, que permitía imprimir grandes cantidades de libros de tamaño estándar, a menudo muy toscos y pequeños, que a las personas mayores con problemas de vista debía de costarles mucho leer sin gafas.

Evidentemente partimos de la suposición de que en los dos extremos del continente euroasiático había los mismos problemas de vista: presbicia o vista cansada, la pérdida progresiva de capacidad para ver con claridad los objetos cercanos rebasada la cuarentena. Pero debemos cuestionarnos esta suposición. Sabemos que la presbicia era, como ahora, el problema más extendido en Europa occidental. Ahora bien, ¿podemos suponer también que lo era en Asia oriental? Supongamos que era el contrario: la miopía, el deterioro de la visión a lo lejos. En ese caso habría afectado enormemente a la evolución de las gafas.

La miopía se suele empezar a manifestar en la infancia, entre los cuatro y los diez años. Para curarla habría sido necesario fabricar gafas para un grupo relativamente poco poderoso: los niños. Además no habría parecido tan necesario desarrollarlas para la lectura o para otros trabajos que requieren de la visión de cerca, pues para ello basta con acercar mucho a los ojos los textos o los objetos. Por otro lado, las lentes cóncavas que se requieren para corregir la miopía son mucho más difíciles de tallar que las convexas. Las gafas para corregir la miopía se inventaron en Occidente dos siglos después de que se fabricaran las primeras lentes convexas para corregir la presbicia. Por último, al crecer los niños y estirárseles la retina, es posible que se les curase la miopía parcialmente y se les normalizase la visión. Así pues, es muy poco probable que en una civilización en la que el principal problema es la miopía se desarrollen las gafas.

Si la población sufre sobre todo presbicia, sucede lo contrario. La presbicia suele manifestarse hacia los cuarenta años, cuando la gente está en la cumbre de su carrera profesional. A esta edad suele haber más probabilidades de ocupar cargos burocráticos y similares con influencia política. También es más probable que tengan dinero para comprar gafas. Las lentes convexas que necesitan son mucho más fáciles de tallar que las cóncavas, que deben vaciarse. Además para los que sufren de vista cansada no queda otra solución. Ven borrosos los objetos que tienen cerca, y no pueden leer los que están lejos. ¿Sufrían entonces los japoneses y los chinos de índices de miopía más elevados?

Lo que Rasmussen descubrió durante los muchos años en que estudió los problemas de vista de los chinos lo dejó perplejo. Tras un cuarto de siglo de investigaciones concluyó que «sólo el 20 por ciento de las lentes para mayores, y en igual proporción para jóvenes (excluidos los afectados de astigmatismo severo), servían para corregir la presbicia. El dato significativo es el 80 por ciento restante: el 65 por ciento son para corregir la miopía y el 15 por ciento para proteger del deslumbramiento y otros usos terapéuticos».

La relevancia del grado de miopía se constata cuando comparamos el chino con el de otras nacionalidades. En 1930 un experto chino publicó los resultados de las pruebas practicadas a 569 chinos y 568 blancos residentes en Pekín en los dos años anteriores. Alrededor del 70 por ciento de los chinos examinados eran miopes; de los extranjeros, sólo el 30 por ciento. El número de dioptrías era además mucho más alto en los chinos que en los extranjeros.

Aunque lamentablemente Rasmussen no indica la fuente ni la fecha de los «antiguos informes chinos», estaba convencido de que «la miopía es y ha sido durante siglos» el problema de vista más extendido. Creía que «casi una cuarta parte de la nación era miope y probablemente sigue siéndolo. El 75 por ciento de las gafas son para miopía».

Los datos de Rasmussen sobre la elevada incidencia de miopía en China y la posibilidad de extrapolarlos a Japón se pueden comparar con otros más recientes. En 1980 el cirujano ocular Patrick Trevor-Roper sugirió que mientras que en los países occidentales el índice de miopía se situaba entre el 15-20 por ciento de la población total, en China y Japón era unas cuatro veces superior, el 60-70 por ciento. En un gráfico reciente sobre la incidencia de miopía en Inglaterra se observa que afecta a un 15 por ciento de la población de diecisiete años, y que la edad más afectada son los cuarenta años, en que se sitúa algo por debajo del 30 por ciento. Estas cifras contrastan con las del Lejano Oriente, mucho más elevadas. Según los expertos, el 85 por ciento de los escolares de Taiwán son miopes. Una de las tasas más altas registradas la encontramos en Singapur, donde se comprobó que el 98 por ciento de los licenciados en medicina tenían miopía. En una entrevista con el doctor Takashi Tokoro, oculista de Tokio, en abril de 1999, salió a relucir que el 30 por ciento de los niños de unos once años sufría este problema; que el porcentaje ascendía al 50 por ciento hacia los quince años, y que a los diecisiete, la edad a la que empiezan la universidad, es ya del 70 por ciento. Dado el alto índice de casos manifestados en edad tardía, parece que el 80 por ciento de la población adulta podría estar aquejada de fuerte miopía.

Lo que parece claro es que en Japón, Taiwán y Singapur los índices de miopía son muy elevados, lo que hace sospechar que podría suceder lo mismo en China. Así pues, la situación actual sugiere que la miopía bien podría haber sido, como sostenía Rasmussen, el principal problema ocular de gran parte de Asia oriental en el siglo XX.

Lo más problemático es averiguar desde cuándo es así. Aparte de la dificultad de obtener pruebas sólidas está la complicación añadida de saber si los índices evolucionaron. Todo indica que en China eran muy elevados en la década de 1920. ¿Se había producido un cambio a largo plazo? ¿Cuándo había empezado? Recurriremos a dos métodos indirectos, ninguno de ellos totalmente satisfactorio, pero al menos ofrecen pruebas circunstanciales. Primero debemos establecer cuáles son las causas probables de que los niveles de miopía sean tan altos en Asia oriental. Conociéndolas, podremos comprobar si concurrían en épocas anteriores. En caso de que así fuera, parece razonable sostener que la miopía estaba entonces muy extendida. El segundo método exige un rodeo. Se ha especulado mucho sobre las consecuencias que pudo tener el elevado índice de miopía, tanto a nivel individual (la «personalidad miope») como a nivel institucional y cultural. Nos fijaremos en algunas de estas consecuencias. Esta línea de investigación es también importante, ya que nos permitirá enlazar con nuestro objetivo más amplio de ver cómo los cambios que afectan a la visión humana, debidos al vidrio o a cualquier otro medio, han influido en las culturas, y cómo éstas han influido a su vez en esos cambios.

Una de las teorías más extendidas sostiene que la miopía es genética. La miopía tiene claramente algo de hereditaria. Se sabe que algunas familias tienden a ser miopes y otras a desarrollar presbicia. La forma y el tamaño del ojo se heredan, por lo que esta afirmación no debería sorprendernos. No obstante, tiene sus límites, ya que los factores hereditarios se suelen combinar con el estilo de vida de cada familia. La complejidad de esta suma de factores se observa en estudios que revelan que los gemelos idénticos no suelen ser ambos miopes.

Para poner a prueba la teoría genética se llevó a cabo un estudio especialmente interesante en la comunidad canadiense de los inuit, que reveló que la genética no es la base del problema. Se examinó la agudeza visual de la población de tres generaciones. Sólo el 5 por ciento de la generación de más edad presentó miopía, mientras que el 65 por ciento de sus nietos tenía el globo ocular alargado. El estudio detectó además un aumento de la miopía del 2 por ciento de una generación al 45 por ciento en la siguiente sin que se hubieran introducido cambios significativos en la dieta ni en el estilo de vida. Lo que sí había cambiado era la educación. Ello indica que el sobreesfuerzo de la lectura es un factor relevante.

Otra teoría sobre la prevalencia de la miopía apunta como posible factor importante la debilidad ocular por desnutrición. Rasmussen escribió al principio de su opúsculo que la ceguera y la visión defectuosa se debían en China «ante todo» a la «desnutrición, debida a la ausencia de vitamina A en la dieta». Ahondó en su teoría comprobando la incidencia de la miopía por regiones, y descubrió que, aunque era elevada en todo el país, la «más alta se daba en el valle del Yangtsé y en las regiones de China central». Se preguntó si en esta zona «los primitivos sistemas agrícolas, en particular el cultivo de arroz y de verduras, habían empobrecido el suelo del valle del Yangtsé más que en otras zonas y empeorado la calidad de las cosechas». Según el autor, la verdura de la región no es «tan sabrosa ni sacia tanto como la de Occidente o la que China importa».

Al final del opúsculo Rasmussen retoma este tema para llamar la atención sobre la progresiva parcelación de la tierra que supuso el crecimiento demográfico: «Este fenómeno llevó a la sobreexplotación y al empobrecimiento de la tierra». Resumiendo lo que para él constituye un proceso que viene produciéndose desde hace más de mil años, añade: «En estas circunstancias lo lógico es pensar que la calidad química y el valor nutritivo de los cereales, los tubérculos y los productos de la tierra en general disminuyeron». A continuación alude a la «reciente demostración por expertos en medicina y agricultura occidentales y chinos de que los alimentos eran pobres en vitaminas y que eran la causa directa de enfermedades que dejaban a millones de personas ciegas o con problemas de visión». Este fenómeno se había producido en los últimos veinte años, pero Rasmussen se pregunta desde cuándo sucede. «En mi opinión, en las zonas más antiguas y pobladas de las cuencas del río puede que el problema lleve gestándose por lo menos mil quinientos años.»

Ante esta opinión se imponen varios comentarios. En general se acepta que la deficiencia de vitamina A (y otras deficiencias, como la de calcio) afecta mucho a la salud de los ojos. Numerosos estudios lo corroboran. La vitamina A se encuentra en el hígado, los huevos, la mantequilla, la leche y el queso, el pescado graso y algunas verduras y hortalizas. La dieta tradicional, básicamente vegetariana, apenas contenía estos alimentos e incluso el pescado se solía consumir en pequeñas cantidades. Además la vitamina A se destruye fácilmente con la cocción, y la costumbre de freír los alimentos en China podría contribuir a ello. Sabemos muy poco sobre la dieta tradicional en China, por lo que debemos ser prudentes. Pero si es cierto que la vitamina A procede principalmente de alimentos de origen animal, no es difícil pensar que la reducción en el consumo de estos productos, desplazados de la dieta por el mayor consumo de arroz y verduras, tuvo probablemente efectos considerables en China.

No obstante, el problema es que nos enfrentamos a un efecto (la miopía) en el que interactúan diferentes causas. Además de la nutrición influyen sin duda factores genéticos y la tensión a que se somete al ojo cuando se le hace trabajar demasiado. Esta combinación de factores se observa hoy en Japón. En la actualidad los porcentajes de miopía entre los niños japoneses en edad escolar son elevadísimos, pese a que en la escuela se les da leche gratis y a que actualmente llevan una dieta rica en carne, queso y verduras. Podríamos pensar que esta situación descarta que la causa de la miopía sea la falta de vitamina A. Así es en lo que respecta al presente, pero podría ser perfectamente que en el pasado constituyera un factor importante que debilitara los ojos, dificultara la lectura en aulas oscuras y agravara las consecuencias de trabajos que obligaban a fijar la vista. El hecho de que ahora se siga una dieta mucho más rica en vitamina A queda contrarrestado por el esfuerzo añadido que deben realizar los ojos cuando se les somete a las presiones de las que hablaremos a continuación.

Rasmussen también sugirió que a las carencias de la dieta se sumaban otros aspectos del estilo de vida chino que obligaban a forzar la vista más de lo habitual. Desarrolló su famosa tesis sobre la «vista cansada», en la que se basan las actuales investigaciones sobre miopía. Según él, los efectos de la desnutrición se acentuaban debido a «las tensiones, presiones y contracciones» a las que se sometía a los ojos al forzar la vista. Afirmaba que las deformaciones «conllevan aplastamiento del plano horizontal, aumento de la longitud axial y contracción o estrechamiento del cuerpo ciliar, acompañados de un aumento de la curvatura del cristalino y su desplazamiento hacia delante. La suma de estas deformaciones, que varían en cada individuo, aplastan y alejan el sistema óptico de la retina, cuya distancia con los puntos nodales aumenta».

Así pues, ¿qué causaba «las tensiones, presiones y contracciones» que afectaban al ojo? ¿Existía algún factor extraño que permita pensar que en China la situación era más grave que en otras culturas? Rasmussen proponía a este respecto una oscura explicación como la del huevo y la gallina: la tendencia a desarrollar miopía llevó a los chinos a emplearse en trabajos más laboriosos y detallistas que a su vez empeoraban la miopía.

El opúsculo continuaba recordando que China se había erigido desde muy pronto en una gran civilización literaria que potenciaba la escritura más que ninguna otra. El empeño en la lectura y en la escritura hacía que se forzara más la vista. Según Rasmussen, no había que olvidar el temprano desarrollo de la caligrafía y la pintura, que requerían «un intenso trabajo del ojo», ni la fabricación de la porcelana y el cloisonné, «dos artes que obligaban a forzar la vista».

La situación se agravaba por la falta de ventanas de vidrio y de mobiliario adecuado. Los artesanos trabajaban en cobertizos mal iluminados y en trastiendas en las que el papel aceitado apenas dejaba entrar la luz. El problema se acentuaba en las escuelas. Se cree que la miopía tiende a desarrollarse entre los cuatro y los diez años. Rasmussen utilizó la famosa fotografía de unos niños con los ojos pegados al papel para extenderse sobre los hábitos de estudio de los escolares. Por ejemplo, «el autor ha visto a niños apoyar la mejilla izquierda en el puño izquierdo mientras escribían con la mano derecha en un papel situado a sólo cinco centímetros de distancia. Hace unos años no era extraño en China ver a una clase entera inclinada sobre sus libros, de modo que lo único que veía el profesor eran las coronillas». El «exceso de concentración en la letra escrita como fuente de aprendizaje [...] debía de forzar el ojo y potenciar la aparición de tendencias inherentes». Las aulas «no estaban sólo mal iluminadas; la mayoría de las veces no estaban siquiera iluminadas».

Admitamos por un momento la tesis de la enorme relevancia que tiene esa educación intensiva, en especial cuando se combina con la lectura o la escritura dificultosa. ¿Tenemos pruebas? Para empezar podríamos fijarnos en las diferencias de clase y ocupación laboral. En una primera tanda de estudios llevados a cabo en Europa a principios del siglo XX se detectaron índices de miopía mucho más acentuados en las clases altas, que supuestamente recibían formación más intensa. Aquí encontramos dos casos especialmente interesantes. En primer lugar, la elevadísima incidencia de miopía en algunas zonas de Alemania. A principios del siglo XX el 50 por ciento de los trabajadores alemanes que debían fijar mucho la vista a corta distancia tenían miopía, mientras que en Inglaterra sólo eran el 25 por ciento. En las escuelas se detectaron diferencias similares. En aquel entonces se aventuró que la causante era la letra gótica empleada en Alemania, que dificultaba la lectura.

Otro caso curioso es el de los judíos ortodoxos, a quienes se obliga a leer, memorizar y estudiar desde muy temprana edad. Estudios recientes indican que más del 80 por ciento de los estudiantes adolescentes ortodoxos de sexo masculino son miopes, un porcentaje entre tres y cuatro veces superior al del resto de la población. La miopía podría asociarse a profesiones que requieren fijarse en los detalles, como el tallado de joyas, por ejemplo. Una divertida historia ilustra también cómo afecta este defecto de visión a la habilidad para jugar a determinados juegos.

En un cortometraje documental emitido por televisión en julio de 1999 y titulado *El peor equipo de fútbol judío del mundo*, un equipo de jugadores de menos de trece años perdía en la liga del norte de Manchester por 17-0, 20-0, 23-0 y 25-0. Los patrocinaba, curiosamente, un oculista local, que debía de conocer a muchos de ellos bastante bien. El oculista declaró que «cuando decidió patrocinarlos, no sabía que eran tan malos. Luego, al verlos, lo primero que pensó fue que deberían mirarse la vista, pese a que la mayoría ya llevaba gafas». Uno de los adolescentes sugirió que la diferencia con otros equipos se debía a la siguiente causa: «Los demás pasan el balón, pero nosotros nos dedicamos a andar por ahí, a sentarnos o a hacer cualquier cosa». Puede que el óptico tuviera razón: aun llevando gafas, a veces ver de lejos sigue siendo difícil; lo mejor es sentarse y esperar a que el balón te caiga del cielo.

La relación entre miopía y trabajos de detalle durante largas horas viene observándose desde hace mucho tiempo. En su *Tratado de las enfermedades de los artesanos*, publicada en el año 1700, Bernardino Ramazzini denunció las graves repercusiones que tienen en Europa trabajos de detalle como la costura y la confección de encajes. Casi dos siglos después, a finales del siglo XIX, Browning escribió en un libro de texto de gran tirada:

La miopía se debe a dos causas: concentrarse casi exclusivamente en objetos cercanos —al leer, dibujar, coser, etc.— y no utilizar los ojos para mirar de lejos en ningún momento. Los libros de texto escolares con letra pequeña destruyen la vista, sobre todo en niños muy pequeños.

Otras investigaciones posteriores y estudios de expertos han confirmado su hipótesis. Administrativos, costureras y compositores eran en su mayoría tradicionalmente miopes.

La letra pequeña y la escasa iluminación no tienen toda la culpa. Influyen otros factores, como la postura (sentarse a una distancia inadecuada), la baja resolución, el escaso contraste, el tamaño de los objetos y la ilegibilidad. El ojo humano se tensa para ver lo que tiene delante. Si se ve obligado a esforzarse constantemente por la dificultad, se deforma.

Un estudio sobre la miopía publicado recientemente por Grosvenor y Goss sugiere que forzar la vista es el factor que más influye en su aparición. Estudiar es un factor especialmente importante. En las poblaciones en las que la escolarización no es obligatoria la miopía se da con menos frecuencia. Al esforzarnos en enfocar pequeños objetos, como letras y números, aumenta la presión sobre el ojo, lo que acelera su alargamiento y produce miopía. Un estudio reveló, por ejemplo, que las personas que en su trabajo pasaban mucho tiempo mirando por el microscopio tendían a desarrollar miopía en dos años. La concentración en la letra pequeña durante largas horas tal vez sea la causa de lo que se conoce como la «miopía del abogado». En *Con faldas y a lo loco* Marilyn Monroe asoció la una con la otra en la famosa escena en que, en su búsqueda de potentados pretendientes, intenta cazar a un hombre que necesitaba gafas prematuramente de tanto leer las diminutas cifras de las operaciones bursátiles en los diarios.

Esto nos lleva a una de las partes más fascinantes de la argumentación. Si la atención por los detalles y el trabajo en lugares mal iluminados durante muchas horas afectan a los ojos, y si no se trata sólo de la tensión que sufren los ojos en sí, sino también de la relación de los ojos con el cerebro, es decir, del grado de concentración, puede que tengamos que plantearnos la enseñanza y la escritura desde un nuevo punto de vista. Los oculistas occidentales llevan tiempo alertando de que las largas horas de trabajo escolar con que sobrecargamos a los niños podrían explicar que se hayan disparado los niveles de miopía (a las que cabe añadir otros factores, como los ordenadores, la televisión, etc.). Sucede cada vez con mayor frecuencia en los países occidentales, pero todavía más en Asia oriental.

En Japón y Corea del Sur los niños suelen asistir a clase en edad preescolar e inician la enseñanza a los tres o cuatro años. En primaria pasan muchas horas en clase. Así resumimos la visita a una escuela para niñas coreanas de entre ocho y doce años:

Visitamos la escuela para niñas y nos dejaron filmar una clase en la que aprenden coreano [...] Las niñas empiezan la escuela a las 8:30 de la mañana y acaban a las 4:30 de la tarde; luego asisten a clases extraescolares, donde siguen estudiando hasta las 10 de la noche en aulas mal iluminadas y ruidosas. Nos dijeron que cuando llegan a casa, suelen conectarse a internet para chatear hasta las 2 de la madrugada. Sus ojos descansan unas cinco horas.

Hacia los diecisiete años las clases extraescolares suelen prolongarse más allá de la medianoche. Apenas hacen descansos para jugar, desarrollar alguna actividad cultural o cualquier otra cosa.

Podríamos pensar que se trata de un fenómeno nuevo. Es cierto que la presión ha aumentado, pero esta dinámica forma parte desde hace mucho tiempo de las sociedades influidas por el confucianismo, en las que son fundamentales la educación y conocer a los clásicos. El testimonio de Dyer Ball cuando describe el sistema de evaluación empleado en China en el siglo XIX da una idea de las presiones que comportaba un sistema educativo tan intensivo.

En un artículo titulado «Examinations», sobre el sistema de evaluación de funcionarios, vigente hasta 1903, escribe lo siguiente:

En esta extraña tierra estuvo en boga durante siglos, e incluso milenios, un sistema de evaluación que nació con el objetivo de comprobar las habilidades de quienes ya trabajaban, y que después se fue ampliando a toda la geografía para examinar a toda persona que quisiera entrar en la administración pública de este vasto imperio con miles de funcionarios; con este objetivo en perspectiva se alentaba a los niños a aprenderse la lección y a ser diligentes; con este fin los hombres se volcaban año tras año en sus cansados estudios, hasta que las canas blanqueaban el pelo antes negro, y los hombros, al principio contrahechos por emular al erudito, acababan cediendo bajo el peso de tantos años de sacrificio. Una curiosa estampa que no se ve en ningún otro país del mundo: la de abuelos, padres e incluso hijos compitiendo al mismo tiempo.

Dyer Ball explica que a los exámenes se presentaba gente de hasta ochenta años, con «incansable perseverancia e infatigable esfuerzo», y mantiene la misma línea de discurso durante varias páginas.

Este sistema no es más que una parte de lo que hoy se sigue observando en Japón cuando se visita una escuela, donde a edades muy tempranas se somete a los niños a enorme presión para que memoricen a los clásicos y dominen una dilatada herencia literaria de gran complejidad lingüística. Al mismo tiempo, la consciencia de que la educación es lo único que abre puertas a la hora de conseguir un buen trabajo y subir en el escalafón social en una cultura meritocrática acentúa la presión sobre padres e hijos. El hecho de que en grandes almacenes haya secciones especializadas en asesorar a madres de críos de muy corta edad sobre cuál es la ropa más adecuada para llevar a una entrevista con una buena guardería no es más que una de las muchas pruebas de que esto es así. Otra es la famosa imagen de niños japoneses sentados pasada la medianoche en centros extraescolares, aguantándose los párpados con palillos para que no se les cierren. Ahora bien, no se trata sólo de las horas de trabajo, la iluminación y la presión de los padres. Hay algo de lo que apenas se ha hablado y que nos parece igual de importante: la naturaleza de lo que se aprende, y en concreto el sistema de escritura.

Cuando se le preguntó por este punto, el doctor Tokoro dijo que en su opinión lo fundamental, aparte del horario, era la inmensa presión que suponía escribir y memorizar los tres alfabetos que forman el japonés, en particular los dos o tres mil *kanji* o caracteres chinos que es preciso conocer incluso para leer el diario. La dificultad es tal, que los niños japoneses dedican casi la mitad del tiempo que pasan en la escuela a estudiar la lengua, lo que aumenta la presión en otras asignaturas y alarga la jornada de estudio. Los caracteres, muy enrevesados, se han de escribir con precisión (y con primor, ya que la sociedad otorga extraordinario valor a la caligrafía) y sobre todo se han de recordar de por vida.

El hecho de que el mayor índice de miopía se concentre en las zonas donde se aprenden estos caracteres chinos no parece simple coincidencia. Singapur, Taiwán, China y Japón son los casos más extremos. El ejemplo de Corea del Sur es muy interesante. La presión de las horas y las clases extraescolares es casi tan alta como en Japón. Sin embargo, en el siglo XV los coreanos desarrollaron una escritura fonética (*hangul*) formada por un reducido grupo de caracteres, y hoy se usa todavía en la enseñanza hasta el instituto. La lengua no ocupa la mitad del horario lectivo, sino sólo una sexta parte. Así, en los primeros años de escuela los niños sufren la presión de los estudios, pero no la obligación de aprender los caracteres chinos. ¿Cómo se traduce esta diferencia en la incidencia de miopía?

Aunque los datos son pocos y dispersos, curiosamente confirman lo que cabía esperar: la incidencia de miopía está a medio camino entre Japón y Occidente. En dos clases de primaria (con una media de edad de nueve años y medio) la proporción de niños con gafas se situaba entre el 8 y el 12 por ciento. En otra escuela de niños de entre doce y catorce años la media era del 10 al 20 por ciento, y en una escuela de niñas una cuarta parte de las doce alumnas de un aula llevaba gafas. En una clase de quinceañeros las llevaba un tercio de los treinta y seis alumnos. En un grupo de cincuenta y cuatro profesores de escuela primaria la proporción era de poco más de un tercio. La impresión general de estas cifras es que la proporción está a medio camino de las registradas actualmente en Japón y en Inglaterra. El profesor de inglés comentó inesperadamente que creía que los ojos de los niños estaban empeorando, y todos los profesores se mostraron contrarios a las clases extraescolares, pero dijeron que no había nada que hacer, porque el «principal problema en Corea» es la presión que los padres ejercen sobre los hijos para que rindan en los estudios y accedan a una buena universidad.

Hemos visto que la nutrición y el sobreesfuerzo de la vista hacen fluctuar los índices de miopía, y que su elevada incidencia en Japón y Singapur parece guardar relación con el sistema educativo e incluso tal vez con el aprendizaje de caracteres chinos. El hecho de que la miopía estuviera tan extendida podría explicar que el vidrio no se desarrollara con fines ópticos en Asia oriental hasta hace poco. Además, si en lugar de fijarnos sólo en el vidrio analizamos la visión en general, vemos una diferencia entre civilizaciones que podría ser de mucho interés.

Una manera de abordar un periodo de la historia del que poseemos escasa información es fijarnos en posibles efectos. Esto tiene para nosotros mucho interés, pues lo que nos incumbe son precisamente las consecuencias de las diferencias que afectan a la vista. Una de ellas es la naturaleza del arte chino. Rasmussen sugirió que el hecho de que las pinturas y los dibujos chinos (y japoneses) sean famosos por sus minuciosos primeros planos y por las difuminadas montañas y nubes del fondo podría guardar relación con la miopía. Aunque en esta conocida característica puedan haber intervenido muchos otros factores, como se vio en el capítulo anterior, el estudio de las representaciones visuales a lo largo de los siglos nos ofrecerá un marco fructífero para investigar la historia de la vista.

La relación entre pintura y miopía parece ofrecer alguna sugerente explicación. El tema fue retomado en parte por Trevor-Roper, que sostiene que los pintores miopes tienden necesariamente a evitar representar con detalle los objetos que se encuentran fuera de su limitado campo visual. Esto también afecta a la distancia desde la que debería verse el cuadro. Para apreciar muchas obras de arte chinas y japonesas el espectador debe acercarse mucho más que a algunas de las obras más famosas del arte occidental. Trevor-Roper señala incluso que los artistas chinos tienden a concentrar la mayor parte de los detalles en el triángulo inferior izquierdo de sus pinturas, aunque asocia no esta costumbre a la miopía, a diferencia de Rasmussen, sino a la «gravedad». Es probable que también influyan el soporte (papel absorbente) y el método (acuarelas).

Resulta tentador asomarnos a otras formas artísticas. Por ejemplo, uno no puede evitar preguntarse si los estilos de teatro japonés —noh y kabuki— tienen algo que ver con la miopía. Los sonidos y los gestos del kabuki; el desdén por la expresión facial (las caras se mantienen inexpresivas en lugar de permitir que cambien sutilmente a medida que avanza la trama); los enormes trajes, sobre todo de tonos rojos; la costumbre del público (como se observa en láminas tradicionales) de mirar no hacia el escenario, sino hacia otro lado; incluso la existencia de una plataforma que sobresale, de forma que los actores pueden acercarse para que el público los vea más de cerca: todos estos detalles pueden ser importantes. Indican que al público le costaba ver lo que sucedía a cierta distancia en una sala escasamente iluminada.

Los trajes rojos y dorados del kabuki podrían ser señal de que la extendida miopía también afectaba a la discriminación de los colores. Mientras que el europeo medio distingue mejor la gama de azules del espectro, es probable que los chinos, japoneses y coreanos vean mejor la gama de rojos. Trevor-Roper observó el dominio del rojo y el dorado en el arte chino y japonés, y que en chino no existía una palabra concreta para referirse al color azul. Además en estos tres países los colores primarios son, aparte del negro y el blanco, el rojo-marrón, el rojo-amarillo y el verde-azul. No deja de ser interesante el hecho de que dos de ellos pertenezcan a la gama de rojos, y que el tercero se encuentre en la zona del espectro contigua. Es significativo que muchos trajes de ceremonias y representaciones teatrales sean rojos y amarillos, y que el rojo y el dorado estén presentes en muchos templos y edificios imperiales. Los rojos predominan en los santuarios de Shinto y en los templos chinos, aunque en los palacios imperiales también ocupa un lugar preferente el turquesa. Otro ejemplo citado a menudo es el famoso sol rojo, no amarillo, de la bandera japonesa. Trevor-Roper explica así la relación que esto guarda con la miopía:

Los rayos azules de la luz se refractan más que los rojos, por lo que en un ojo sano se enfocan ligeramente delante de la retina, mientras que los rayos rojos se enfocan justo detrás; por lo tanto, al tener el ojo más alargado de lo habitual, el miope ve los objetos rojos con mayor nitidez.

Sería interesante centrarnos también en la literatura. En Occidente resulta muy revelador el contraste entre las imágenes de un poeta miope como Keats y las de un poeta sin problemas en la vista como Shelley. Keats juega mucho más con los sentidos del olfato y el sonido, sus imágenes son mucho más caprichosas, mientras que Shelley se decanta por escenarios lejanos. Con esta idea en mente quizá valga la pena detenernos en el vasto patrimonio literario de Japón y China.

Muchas anécdotas e indicios apuntan indirectamente en esta dirección. En los tratados de medicina tradicional china se observa una considerable preocupación por las enfermedades de los ojos. Las antiguas etnografías dan fe de la presencia de numerosos establecimientos especializados en oftalmología, algunos de ellos en funcionamiento durante más de siete generaciones. Se ha demostrado que algunos niños japoneses poseían una extraordinaria agudeza visual microscópica. Edward Morse explicó en la década de 1870 que enseñó «a un niño campesino» cómo un escarabajo «daba un salto al colocarlo boca arriba». Para ello se valió de «una lupa de bolsillo». En Occidente «sólo los entomólogos estaban familiarizados con este artilugio, pero aquel niño japonés de campo lo conocía perfectamente; me dijo que lo llamaban "mortero de arroz"».

En la obra de Li Yu, traducida del chino como *La alfombrilla de los goces y los rezos*, publicada por primera vez en 1634, se nos habla de una mujer «corta de vista». El autor explica que este rasgo le confería un atractivo especial: «En general, entre las mujeres cortas de vista, las bonitas superan con mucho a las feas, y las inteligentes a las estúpidas». Cita con aprobación el dicho según el cual «una esposa miope no está ociosa en el lecho». Y es que, aunque «su deseo es idéntico al de los hombres de ojos voluptuosos», no hay que olvidar que «históricamente, la mayoría de las mujeres miopes han conservado la castidad, y sólo una pequeña minoría se ha desviado del buen camino».

Muchos otros aspectos podrían darnos pistas. Como Mann y Pirie sugieren, podríamos tener en cuenta cómo afectan a la visión a distancia «la disposición de los asientos de cines y teatros, el tamaño y la posición de los soportes de información públicos, como los postes indicadores, la utilización de pizarras en las escuelas o la disposición de otros elementos habituales, que se presupone que se ven bien a más de cinco metros de distancia». Si damos la vuelta a este argumento y nos preguntamos qué sucedería en una sociedad con un elevado índice de miopía, varias curiosidades de la cultura japonesa cobran nuevo sentido. ¿Cómo debe de ser vivir en un mundo en el que a dos palmos todo se ve borroso?

Al pensar en Japón, por ejemplo, uno no puede por menos que preguntarse sobre la ceremoniosa reverencia con que se saluda, mucho más fácil de observar que los sutiles rasgos de la expresión facial, la habitual impasibilidad de los gestos, la entrega de tarjetas para indicar la identidad y la importancia de la comunicación corporal (*hara*) en detrimento de la expresión facial o el discurso. Deberíamos pasear por Japón con gafas que crearan miopía y ver cómo muchas cosas se volvían visibles, y cómo el arte, los gestos y la utilización del ruido contribuyeron a ello. ¿Se creó ese paisaje para las personas con problemas de visión?

También es fascinante descubrir que en China, el país que inventó la pólvora, no se desarrollaron armas de largo alcance. Sin duda hay otros motivos para que esto fuera así, pero una parte podría deberse a la dificultad que, al menos los mandarines, habrían tenido para utilizarlas. Un historiador especializado en China, Mark Elvin, nos apuntó que el deterioro de la vista se reflejaba en la transformación de los hábitos de caza, tiro e incluso observación de las estrellas. Alguien podría incluso añadir chistosamente que no es casual que en el tiro al arco zen el arquero tuviera que disparar la flecha sin mirar la diana. A fuerza de practicar el arquero sabía por intuición dónde disparar sin tener que mirar. Era una actividad reservada a las élites.

Otra consecuencia de la miopía podría ser la habilidad de los japoneses para los trabajos de microdetalle que tanto vienen impresionando desde hace tiempo a los occidentales: el complicado arte tradicional del lacado, el *inro*, el tallado de *netsuke*, el cultivo de los bonsáis y los sutiles movimientos de la ceremonia del té. Muchas profesiones que requieren precisión atrajeron en el pasado a personas miopes: talladores de marfil, pintores de miniaturas, etc. Parece verosímil pensar que esta habilidad podría estar detrás del talento de los japoneses en algunos sectores tecnológicos, que en muchos casos llevan el prefijo «micro» (microingeniería, microelectrónica, microinformática). Los manuales de instrucciones de los productos fabricados en Japón tras la Segunda Guerra Mundial, por citar otro ejemplo, estaban escritos en una letra diminuta, casi ilegible para un occidental.

La forma y la concepción de las casas y los muebles japoneses también nos dan que pensar. Las habitaciones eran minúsculas, como las casas, y su simplicidad y la ausencia de muebles las hacían ideales para personas con dificultad para enfocar incluso objetos situados en la otra punta de una habitación o para moverse por una sala abarrotada de muebles.

Otra característica muy conocida de Japón es la importancia que dan a los demás sentidos. Tienen el olfato mucho más desarrollado. No sólo suelen comentar los desagradables olores de los occidentales, sino que su capacidad de discriminar esencias es extraordinaria. Se han escrito numerosos libros sobre este arte, y la variedad tanto de esencias como de inciensos es muy amplia. *Genji*, una novela del siglo XIX, está llena de competiciones por detectar sutiles variaciones aromáticas; los perfumes del príncipe a menudo permitían anticipar su llegada.

El sonido desempeña asimismo un papel central. Se distinguen y utilizan sonidos mínimos, como el del goteo de un grifo, el tintineo de campanillas, el salto de una rana en un estanque, varios clics y clacs de la ceremonia del té. Un amigo japonés nos comentó que los japoneses tenían mejor oído para compensar su precaria vista.

No es difícil darse cuenta de la pasión que los japoneses sienten por los grandes volúmenes en lugar de por cosas pequeñas que quizá no podrían ver a cierta distancia. Aprecian el cerezo en flor, una nube rosa o blanca, la luna llena o el discernible e ineludible perfil del monte Fuji. Mann y Pirie lo explican con claridad:

Los niños que nacen miopes no rechistan. No se suele caer en la cuenta de este detalle, pero si lo pensamos, es obvio [...] qué pasa por la cabeza de una niña miope a la que acaban de dar sus primeras gafas y sale a pasear. Dice: «¡Mira! ¿Sabías que el árbol está formado por hojas?».

Las vistas, los miradores y los paisajes turísticos brillan por su ausencia en el Japón tradicional. Así lo observó Timon Screech, que lo atribuyó a la voluntad de evitar que la población supiese cómo estaba distribuida la tierra, pero esto difícilmente lo explica. Es mucho más factible pensar que en Japón mucha gente no habría subido a los montes ni a las torres que tanto gustaban en los países occidentales porque hasta que se importaron las gafas de Occidente no habrían visto nada. Con la generalización de las gafas, en el siglo XVIII, los viajes en globo para ver el paisaje causaron sensación en Japón.

El último aspecto en que puede haber influido la miopía es más polémico, pero vale la pena analizarlo: la personalidad. Aunque pisamos un terreno difícil, se han hecho varias sugerencias. Mann y Pirie apuntaron:

[A los niños miopes] les interesan mucho los libros y los pequeños detalles, pero se aburren con los juegos [...] Obtienen becas, por lo que pueden llegar a ser muy poco queridos en clase [...] se embarcan en trabajos que requieren mucha minuciosidad, se les cargan las espaldas y pegan los ojos a lo que están haciendo. Les salen patas de gallo, porque se pasan el día apretando los párpados, como si tuvieran una microcámara en los ojos para ver mejor de lejos, y esto les genera tensión.

Esta imagen del miope como rata de biblioteca, como persona de memoria enciclopédica, con gran habilidad para distinguir los colores de señales lejanas, introvertida, a la que le cuesta soltarse o a la que, entre otras cosas, se le dan mal los juegos de equipo es muy habitual en gran parte de la literatura.

Trevor-Roper investigó este tema en un capítulo titulado «La personalidad miope», en el que hace suya la observación de un oculista: «Usted no lo entiende: los miopes somos diferentes». Se refiere al miope como «estudioso y bastante retraído», y cita un largo y fascinante pasaje de un tal doctor Rice que habla sobre ello:

Un niño miope no será bueno sobre el terreno de juego, porque no ve. No le gustará la caza, porque no verá las piezas ni dónde apunta. No le gustará pasear, porque no verá bien los objetos lejanos y por lo tanto no sabrá apreciarlos. Tampoco le gustarán las carreras, la aviación, los viajes ni los deportes. En general no les gusta el teatro ni el cine [...] Cuando un niño sabe que no podrá ganar a sus compañeros en los juegos, obtiene su satisfacción de la conquista de la mente, sobre la que tiene control [...] Complace a los profesores, pero pierde a sus amigos [...] Este tipo de niño no depende de los demás para entretenerse y es probable que menosprecie el talento de los demás. No se adapta a su entorno ni está dispuesto a hacer concesiones.

Al hablar de diferencias biológicas o de algún otro tipo, es de vital importancia evitar caer en juicios de valor y situarse por encima. Sería incluso inadecuado titular un capítulo con una frase del estilo de la que utilizó Trevor-Roper en el título de su libro: «El mundo a través de una vista desafilada». Es cierto que la miopía se ve hoy como una disminución y que muchos la consideran una desdicha, pero tiene muchas ventajas y ha ido muchas veces unida a la creatividad, tanto en Oriente como en Occidente. Los miopes viven probablemente en un mundo más intenso, íntimo y significativo. Ven el mundo desde otro ángulo, desde una perspectiva insólita, lo que quizá explique por qué están mucho más presentes incluso en las escuelas de arte y que, una vez en ellas, prefieran no corregir el problema.

Muchos grandes poetas han sido miopes: Milton, Pope, Goethe, Keats, Tennyson y Yeats, entre otros. También escritores como James Joyce y Edward Lear. Entre los músicos miopes encontramos a Bach, Beethoven, Schubert y Wagner. Gregor Mendel, el primer investigador de la genética moderna, también era miope. Y entre los mejores matemáticos el porcentaje de miopes es cuatro veces mayor al de la población general.

Lo más sorprendente quizá es que también fueran miopes muchos grandes pintores, como Van Eyck, Durero y posiblemente Vermeer. La prevalencia de este defecto de visión era especialmente alta entre los impresionistas del siglo XIX, como Cézanne, Degas y Pissarro. En una escuela de arte francesa del siglo XX la proporción doblaba casi la de la población general. Los miopes triunfan en la educación y en el arte. Además la vida les compensa con menos problemas para leer sin gafas cuando son mayores.

Por consiguiente es fundamental evitar los matices peyorativos que nos retrotraen a lo que oíamos decir en los patios escolares, donde a los niños que llevaban gafas para la miopía se les hostigaba por empollones. Sería muy lamentable que se pensara que estamos diciendo que la mitad de la población mundial que utiliza caracteres chinos (por no mencionar a los judíos ortodoxos, los brahmanes indios y otros grupos de población con incidencia de miopía más alta de lo habitual) es de algún modo inferior a los occidentales, que ven bien de lejos. Por otro lado, no sería inteligente hacer caso omiso de las posibles diferencias por miedo a ser tachados de políticamente incorrectos, racistas, orientalistas, deterministas o cualquier otra cosa. Esas diferencias pueden proporcionarnos una nueva perspectiva en la historia del desarrollo de los instrumentos de vidrio en Oriente y en Occidente.

En las principales civilizaciones de la región euroasiática (sin contar el islam, que es un caso distinto), es decir, en China y en Japón, puede que se haya evolucionado hacia una sociedad más atenta al detalle microscópico, al dominio de los demás sentidos al margen de la vista y a una menor atención a la visión de lejos. Si quisiéramos llevar la tesis hasta el extremo, podríamos decir que esto saca a relucir algunas peculiaridades de Occidente. Como veremos, la tecnología occidental del vidrio potenció una visión ya de por sí considerable mediante telescopios y microscopios, además de corregir con gafas los problemas de vista cansada. Los chinos y los japoneses, cuyos ojos fueron telescopios virtuales en el pasado, los convirtieron en microscopios virtuales. Ahora bien, esta transformación tuvo un precio y ayuda a explicar algunos rasgos distintivos de su cultura, como sucede con el vidrio en Occidente.

En China, Japón y durante un tiempo Corea la vista pudo en efecto deteriorarse, o por lo menos la capacidad para ver de lejos. Esto pudo provocar que el conocimiento fidedigno se estancase e incluso se redujese. El mundo se volvió más plano, limitado a lo que estaba más cerca; aumentó la autoridad del pasado, cuando el mundo era más nítido; la curiosidad por descubrir cosas nuevas disminuyó, y la palabra escrita y el recuerdo cobraron importancia. En Occidente ver es creer; en Oriente oír y leer es creer. El olfato, el oído y la memoria tienen más peso en Oriente, mientras que en Occidente se prefiere experimentar, tocar y ver. A esto contribuyó el lenguaje, la cortina de una compleja escritura en Oriente, en contraste con una cultura occidental cada vez más oral y visual. Ambas culturas tienen su encanto y sus ventajas, pero en el inexorable terreno de lo práctico la solución occidental de ampliar la visión humana con gafas ganó la batalla. Ahora en todo el mundo se llevan gafas y hemos olvidado los mil años de historia en que las cosas eran muy distintas.

9

Visiones del mundo

Las iglesias, los palacios, los castillos y las casas particulares deben sus principales ornamentos y comodidades al vidrio, pues este material transparente los resguarda del frío y el calor excesivos sin impedir que entre la luz. Espejos y otras grandes planchas nos sorprenden al mirarlos; tan nítida y naturalmente representan los movimientos de los objetos que tienen delante, desde los más sutiles hasta los más evidentes, y nos llevan incluso a vestirnos siempre con ropa limpia y agradable. Sin embargo, entre los miles de personas que los disfrutan ninguna reflexiona sobre lo admirable que es haberlos fabricado, pues constituyen sin duda una de las obras de arte más perfectas e importantes que existen, lo más maravilloso que podía hacer el hombre.

Haudiquer de Blancourt

Cómo emergió el mundo moderno es un gran misterio. Si preguntamos cuáles han sido las seis transformaciones más decisivas del conocimiento humano, tanto en contenido como en forma, casi nadie dudará de que el Renacimiento y la revolución científica están entre ellas. Junto a la evolución del lenguaje y al descubrimiento de la escritura, la transformación de las herramientas que ayudaron al hombre a entender la naturaleza entre principios del siglo XIV y finales del XVIII tiene sin duda una importancia enorme. Con ellas se han construido las nuevas tecnologías industriales, el nuevo sistema social, las redes de comunicación, el nuevo sistema político y la cultura global en la que ahora vivimos. Si observamos la historia de la humanidad en su conjunto, los efectos de lo sucedido en el pasado más reciente, que en un principio se dieron en tan sólo un extremo del mundo, son cruciales. No obstante, al preguntarnos por las causas de tales profundas transformaciones, resulta difícil hallar respuestas satisfactorias.

Para resolver este misterio primero debemos precisar bien la pregunta. ¿A qué nos referimos exactamente cuando hablamos de «revolución científica» y de «Renacimiento»? Lo cierto es que la revolución científica debe dividirse en dos «revoluciones». La primera se produjo aproximadamente entre 1250 y 1400, e incluyó varios fenómenos: la absorción de las ideas griegas a través de los estudiosos árabes, la aparición de las universidades, el perfeccionamiento de la lógica, mayor atención a la precisión y a la exactitud, el desarrollo de las matemáticas, la química, la física y en particular la óptica, y la autoridad cada vez más aceptada de la observación frente a los textos antiguos. Esta primera revolución asentó los cimientos necesarios, incluidos el método experimental y el escepticismo, la duda y la suspensión del juicio como métodos científicos para que pudiera producirse la revolución científica más conocida, que se suele fechar entre la década de 1590 y finales del siglo XVII. Esta segunda revolución científica estableció el proyecto científico que conocemos hoy en día, basado en la utilización de instrumentos científicos para obtener grandes cantidades de nuevo conocimiento fidedigno.

Entendiendo la revolución científica en este sentido más amplio, vemos que no se trató de una ruptura repentina, sino que se remontaba al pensamiento clásico, que, combinado con los avances de los árabes, floreció en la obra de los pensadores medievales. Por lo tanto, se trata de un proceso que abarca medio milenio, aproximadamente desde 1200 hasta 1700. La zona geográfica está también muy delimitada: aunque se hallaron numerosos elementos en otros lugares, el conjunto del puzzle se focalizó durante un tiempo en ciertas zonas de Europa occidental.

Así las cosas, ¿por qué este decisivo fenómeno que transformó la visión y el conocimiento humanos se produjo, y por qué precisamente en ese momento (1200-1700) y en ese lugar (ciertas zonas de Europa occidental)? Está claro que nada tuvo de inevitable. Otras culturas más avanzadas tecnológica y socialmente apenas mostraron indicios de vivir una revolución de este tipo. Sin embargo, cambió el mundo. ¿A qué se debió?

El periodo conocido como Renacimiento suele verse como un movimiento que afectó a las artes (pintura, arquitectura y literatura) y entre cuyas características se incluyen la observación y la representación más precisas, la matematización de las reglas pictóricas y arquitectónicas, el desarrollo de métodos para representar la perspectiva que permitían reproducir convincentemente el espacio tridimensional sobre una superficie bidimensional, el creciente realismo en las representaciones de la naturaleza, la creación de nuevos motivos arquitectónicos y poéticos que daban intensidad y fuerza, una nueva concepción del individuo y del lugar que ocupa en el universo, y un nuevo concepto del tiempo.

Esta enumeración nos permite observar que todos los elementos se solapan en gran medida con la revolución científica o del conocimiento. Donde mejor se observa este solapamiento es en la obra de Leonardo da Vinci, genio a la vez «científico» y «renacentista». Es fácil darse cuenta de que en la base de ambos movimientos está la ampliación del conocimiento fidedigno. Los avances logrados en un campo, por ejemplo las matemáticas o la representación del espacio tridimensional, enseguida se reflejan en el otro. El ejemplo más obvio lo encontramos en la óptica, la disciplina fundadora tanto de la revolución científica como del arte renacentista.

El Renacimiento así entendido se inició a la par que la primera fase de la revolución científica, a mediados del siglo XIII, y se prolongó hasta más o menos el comienzo de la segunda, alrededor del año 1600. Las zonas a las que afectó fueron más o menos las mismas, con el norte de Italia y el noroeste de Europa como focos principales. No se vivió en ninguna otra cultura fuera de Europa occidental.

Las revoluciones científicas y el Renacimiento fueron en realidad partes de un mismo fenómeno, manifestaciones de un único y gigantesco avance, de modo que conviene dejar de tratarlos como fenómenos separados, del mismo modo que nos resulta útil dejar de distinguir entre la primera y la segunda revolución científica, ya que ambas forman parte de lo que podríamos denominar una revolución del conocimiento.

A partir de ahí toda explicación de por qué se produjo la revolución del conocimiento debe cumplir ciertos criterios. Dado que el aumento del conocimiento fidedigno experimentó una marcada aceleración a partir del siglo XIII, la explicación debe tener en cuenta factores que estén presentes de esa fecha en adelante. La invención de la imprenta y el descubrimiento del Nuevo Mundo, por ejemplo, ambos del siglo XV, sucedieron demasiado tarde para que se considere que precipitaron los cambios, aunque pudieron contribuir a consolidar y desarrollar el movimiento. Los factores debieron también acentuarse rápidamente a partir de 1200, de modo que habrían estado en gran parte ausentes o dormidos hasta entonces. Además su presencia debió estar concentrada tanto en Italia como en el noroeste de Europa, pues la revolución del conocimiento se produjo simultáneamente en estas dos zonas. Mediante el análisis comparativo se debería poder establecer que el factor o los factores estuvieron prácticamente ausentes en otras culturas, donde la revolución del conocimiento no llegó en ese momento. Por último, la coexistencia o la coincidencia no bastan. Se debe poder mostrar cómo esos factores provocaron dicha revolución. Es decir, ¿cómo propiciaron directa o indirectamente la aparición de un conocimiento más preciso, realista y detallado de la naturaleza, sentaron las bases para que las reglas de la representación de la naturaleza pudieran ser más exactas y estimularon la curiosidad y la confianza en la consecución de este objetivo?

Atendiendo a estos criterios repasaremos las diferentes explicaciones con que muchos escritores han intentado dar respuesta a estas cuestiones y veremos si cumplen o no los requisitos. Si dejamos de lado por el momento los factores filosóficos y culturales más profundos que hicieron posibles estos cambios, vale la pena enumerar las opciones plausibles que podrían proporcionarnos la explicación que andamos buscando. En concreto son: la mecanización de la visión del mundo a medida que se desarrollaban las máquinas; el ordenamiento jurídico heredado; el crecimiento de determinados tipos de ciudad; una estructura social concreta; el comercio y la exploración; la existencia de una civilización plural pero culturalmente unida; la expansión del capitalismo comercial; el desarrollo de métodos lógicos y retóricos; el perfeccionamiento de métodos de almacenamiento y difusión de la información (por ejemplo la imprenta); las universidades; instrumentos para medir el tiempo (los relojes); la mnemotecnia; las herramientas de medición y cálculo; las redes de conocimiento, y los consorcios y las asociaciones que permitían colaborar a largo plazo.

No cabe duda de que todos estos factores son importantes, aunque podemos estrechar el cerco afirmando que pocos de ellos parecen cumplir todos los criterios antes mencionados. Los tres más prometedores son probablemente los relojes mecánicos, las universidades y otras instituciones corporativas, y la existencia de un sistema político y económico fragmentado pero al mismo tiempo unificado. Aun así sigue pareciendo que algo falta. Nos hemos formado una idea de los prerrequisitos, pero sigue escapándosenos qué es lo que los unió y llevó a una cultura a avanzar hacia nuevos sistemas de pensamiento. ¿Dónde más podemos mirar? Si fuéramos detectives, buscaríamos pistas en cosas que se nos hubieran pasado por alto por demasiado evidentes, por tenerlas ante nuestras narices. Creemos que existe un factor obvio que se ha relegado a la hora de intentar comprender cómo revolucionó el conocimiento fidedigno una cultura. Ese factor es el vidrio.

Hemos visto cómo el vidrio transformó la relación de la humanidad con el mundo natural. Cambió el sentido de la realidad dando preferencia a la vista sobre la memoria, introdujo nuevas maneras de entender las pruebas y los indicios, y alteró los conceptos de individualidad y de identidad. La nueva visión hizo tambalear la verdad establecida, y la mayor precisión y exactitud que se le exigía permitieron a Europa imponer su dominio en el mundo entero durante los siglos siguientes.

Ahora lo que sucedió nos parece relativamente claro. En el centro y el este del continente euroasiático la historia del vidrio tiende a ser homogénea. La existencia del vidrio y el método para elaborarlo habían llegado a conocimiento de las culturas de estas zonas desde Oriente Próximo, cuando menos hacia el año 500 a.C. en India y China. La nueva y revolucionaria técnica del soplado llegó como muy tarde en el año 500 d.C. En India apenas comportó el desarrollo de la industria vidriera, que quedó circunscrita a la elaboración de cuentas de collar y brazaletes. Del mismo modo, en China y en Japón el vidrio se consideraba una alternativa más barata, pero inferior, para fabricar elementos decorativos seculares y religiosos. La fabricación de vidrio alcanzó su máximo apogeo en Japón en el siglo VIII y luego se desvaneció. Hacia el año 1500 el arte del vidrio se había perdido. En China se extendió hasta los siglos X-XI, pero también se evaporó a partir del siglo XII aproximadamente. El caso de la cultura islámica fue algo diferente, ya que se quedó en un punto intermedio entre los dos extremos. La fabricación de vidrio floreció, y hacia el siglo XI Siria y las zonas vecinas se habían convertido en los centros de producción más avanzados del mundo. Sin embargo, después cayó en picado, y entre 1400 y 1750 apenas se fabricó vidrio de ningún tipo.

En el extremo occidental del continente euroasiático la historia del vidrio siguió otros derroteros. En el sur la civilización romana promovió la utilización de utensilios de vidrio domésticos de maravillosa calidad, sobre todo para el vino, y de ahí surgieron los espejos y las copas venecianos. En el norte la cristiandad y el clima favorecieron el desarrollo de vidrio plano y de color en la Edad Media. El lujo, el comercio, el celo religioso y el deseo de comodidad favorecieron el rápido perfeccionamiento de las aplicaciones del vidrio. Las habilidades de los vidrieros y los conocimientos de los matemáticos no tardaron en hacer posible la fabricación de gafas, cuya popularidad creció enseguida por el extendido deseo de corregir la presbicia. Con las lentes, los prismas y las gafas aumentó el interés por las propiedades de la luz, cuya investigación condujo más tarde a la invención del microscopio y del telescopio. El desarrollo de artilugios de vidrio y de los espejos tuvo asimismo profundas consecuencias en disciplinas como la química y la astronomía. Las consecuencias sobre la percepción del espacio, el predominio de la visión, la salud y la agricultura fueron considerables.Podemos ahondar en esta parte de la historia del vidrio atendiendo a sus principales aplicaciones. La utilización del vidrio en joyería y bisutería (cuentas, juguetes y joyas) es casi universal, por lo menos en el continente euroasiático, aunque no se dio en la otra mitad del planeta: las Américas, el África subsahariana y Oceanía. En India, China y Japón fueron de hecho la única aplicación que se dio al vidrio durante la práctica totalidad de los últimos dos mil años. Para este fin no es indispensable la técnica del soplado, que por su parte tampoco influye excesivamente en el pensamiento ni en la sociedad, ya que está al servicio tan sólo de la fabricación de artículos de lujo y de la estética. El potencial del vidrio como instrumento de conocimiento y para mejorar el entorno físico apenas se explotó.

Históricamente, la utilización del vidrio para cristalería, es decir, vasijas, vasos y otros recipientes, estuvo en buena medida circunscrita al extremo occidental del continente euroasiático. En India, China y Japón el vidrio se utilizó muy poco para cristalería. Incluso en los territorios islámicos y en Rusia esta aplicación decayó enormemente a partir del siglo XIV, con las incursiones de los mongoles. En el caso concreto de China el vidrio se ve principalmente como una alternativa a la cerámica y a la porcelana. Los que más contribuyeron a desarrollar la cristalería fueron los italianos, empezando por los romanos, que utilizaban ampliamente el vidrio, y luego los venecianos con el *cristallo*. La mayoría de las mejoras técnicas introducidas en la fabricación de vidrio surgieron de ahí, en particular con relación al vino. Por lo tanto, el fenómeno posee un alcance mucho más concreto y dos epicentros: Italia y Bohemia. Las relaciones con la ciencia son varias, como el hecho de que el vidrio de los primeros microscopios procedía de fragmentos del cristal veneciano empleado en las copas de vino. A partir de ahí se desarrollan los tubos, las retortas y los matraces volumétricos de uso químico, así como los termómetros y los barómetros.

El uso de vidrio en vidrieras o vitrales, el vidrio de ventanas, tampoco se desarrolló hasta hace muy poco, pero en una zona ligeramente distinta. Históricamente el vidrio de ventanas se encuentra sólo en el extremo occidental del continente euroasiático; en China, Japón e India apenas cuajó. Lo más sorprendente tal vez es que tampoco arraigara en la extensa zona mediterránea donde proliferó la cristalería, los territorios islámicos y el imperio romano. Aunque se llegó a conocer el potencial del vidrio para este uso, se desarrolló muy poco. La gran revolución de las ventanas se produjo principalmente en Europa, al norte de los Alpes. Dos de los factores más determinantes fueron las bajas temperaturas y la arquitectura religiosa, que incorporó las vidrieras góticas de colores. A partir del siglo XI el vidrio de color de las vidrieras y después el vidrio transparente de las ventanas en las casas, con los consiguientes avances tecnológicos que su fabricación comportaba, se extendieron y transformaron la arquitectura, la vida social y el pensamiento, aunque esto se produjo sólo a gran escala en el noroeste de Europa.

La cuarta aplicación del vidrio la hizo posible su capacidad reflectora cuando se platea. También el uso de buenos espejos de vidrio quedó circunscrito a un espacio y un tiempo concretos. Los espejos de vidrio se desarrollaron en toda Europa occidental, pero la cultura islámica se quedó fuera, quizá por motivos religiosos. Tampoco arraigaron en India, China ni Japón. Y los romanos apenas los desarrollaron. Desde el punto de vista temporal, se empiezan a fabricar espejos de vidrio de gran calidad a partir del siglo XIII, y es entonces cuando se convierten en objeto de uso común; desde un punto de vista geográfico, su uso se limita a Europa occidental.

No obstante, constituyen una pieza esencial en el desarrollo de las ciencias ópticas y de la perspectiva en el arte. Sin ellos gran parte de los avances en el conocimiento fidedigno sobre el mundo natural englobados en los periodos conocidos como Renacimiento y revolución científica no se habrían producido.

Un último uso importante que se dio al vidrio fueron las lentes y los prismas, en particular aplicados a la vista humana en forma de gafas. Una vez más, aunque el concepto de desviación de la luz y el efecto lupa del vidrio se conocían probablemente en todas las culturas euroasiáticas, sólo una llevó a la práctica la fabricación de lentes: Europa occidental. Al igual que en el caso de los espejos, sucedió bastante tarde, sobre todo del siglo XIII en adelante. Esto coincide exactamente con el desarrollo medieval de la óptica y las matemáticas, de las que se nutrieron después todas las ramas del conocimiento, entre ellas la arquitectura y la pintura. También influyó en la aparición de un tipo de lentes concreto e importante: las gafas. Las gafas de vidrio no se extendieron a Japón, China, India, Roma ni el islam. Se utilizaron sólo en Europa occidental, a partir de 1280, y llevaron más tarde a dar un paso fundamental con la creación de los microscopios y los telescopios.

Así pues, más de la mitad de la población euroasiática, formada por India, China y Japón, sólo dio al vidrio uno de los cinco usos que acabamos de ver. En la zona intermedia, Rusia y el islam, utilizaron también algo de vidrio en la fabricación de vasos y recipientes. Europa occidental en general le dio cuatro usos, ya que sumó el de los espejos y las lentes, pero sólo a partir del siglo XIII. Y en el noroeste de Europa el vidrio se utilizó profusamente con un quinto fin, la fabricación de ventanas.

En nuestra opinión hay más de una coincidencia entre las principales divergencias de los sistemas de conocimiento de la humanidad y el desarrollo del vidrio. En primer lugar está la correlación en el espacio. La zona de mayor difusión del vidrio en sus múltiples facetas, Europa occidental, fue también donde se forjó una nueva visión del mundo que hoy entendemos como característica del Renacimiento y de la revolución científica. Pese a que el conocimiento islámico y chino fue más avanzado hasta el siglo XII, no fue en su seno donde se produjeron los cambios más importantes. En segundo lugar está la coincidencia temporal. El rápido desarrollo del vidrio, sobre todo en ventanas, espejos y lentes, se dio en Europa occidental a partir del siglo XIII, justo cuando empezaron a despuntar los principales avances en óptica, matemáticas y perspectiva. La cultura islámica, que había llevado la delantera, empezó a arrinconar el vidrio precisamente a partir del siglo XIII. A finales del XIV había abandonado el material casi por completo y el pensamiento científico se había evaporado. En Japón, en cambio, la importación a gran escala de instrumentos científicos de vidrio a finales del siglo XIX propició un enorme desarrollo tecnológico y científico.

Si se tratara de una mera coincidencia en el tiempo y en el espacio, sin relación de causa y efecto, podríamos descartar nuestra tesis y considerar que todo el proceso es un curioso avance en paralelo. Pero no es difícil ver que existe relación. Se plasma en la vida y la obra de la mayoría de las grandes figuras que en Occidente contribuyeron a crear las nuevas visiones del mundo. Ahí están Alhazen, Roger Bacon y Robert Grosseteste, que con el uso de instrumentos de vidrio impulsaron las matemáticas y la óptica. Ahí están los grandes genios del Renacimiento que experimentaron con la perspectiva, y observaron y representaron la naturaleza de forma más ajustada a la realidad, desde Brunelleschi y Alberti hasta Leonardo y Durero. Todos se valieron de espejos, plafones planos de vidrio y lentes para experimentar con la óptica y la luz. Y ahí están los grandes científicos del siglo XVII, Galileo, Kepler, Newton y otros cuya obra se centró en la investigación de la naturaleza mediante instrumentos de vidrio. Casi todos los avances científicos importantes necesitaron del vidrio en alguna fase de la experimentación. Además el vidrio reforzó uno de los órganos más poderosos del ser humano: los ojos. Todo esto sucedió sólo en una parte del mundo.

Hay que ser cautelosos, por supuesto, y no caer en reduccionismos ni atribuirlo todo a un solo factor. Sería ridículo defender que con el vidrio bastó. Como hemos visto, su utilización depende del contexto, y hubo muchos otros factores que también determinaron el excepcional aumento del conocimiento fidedigno en el que se fundamenta nuestro mundo. Fue como mucho una condición necesaria, pero no suficiente en sí misma. Aun así no parece excesivo argumentar que si tuviéramos que elegir un solo factor, más importante incluso que el crecimiento de las ciudades, el resurgimiento de los clásicos, los relojes o la imprenta, tendría que ser el vidrio. Sin él resulta difícil imaginar que hubiera podido generarse la nueva visión del mundo.

A pesar de todo, esto no significa que el resultado fuera inevitable ni que existiera un designio o propósito previo. El vidrio se desarrolló con otros fines; fueron su belleza y su utilidad lo que atrajo a la gente. Una sucesión de extraordinarios accidentes hicieron que además sirviera para desviar la luz de una manera que cambiaría la visión del mundo.

Aunque sucedió por accidente, los efectos fueron inmensos, pero al principio sólo en una zona del mundo. La historia del vidrio es un ejemplo de lo diferentes que pueden ser las consecuencias de una nueva tecnología en Oriente y en Occidente. El vidrio revolucionó Occidente, como la pólvora, la imprenta y los relojes, cuya influencia tampoco se dejó sentir apenas más hacia el este, en el centro o en el extremo oriental de la región euroasiática. ¿Y cuáles fueron esas consecuencias?

Una de ellas es la trascendental transformación de una sociedad basada en el texto y en esencia oral, similar a las demás culturas, en una sociedad dominada por la imagen. Se impone el sentimiento de que lo que realmente importa es lo que se ve. A lo largo de estas páginas hemos visto cómo el mayor poder que adquirieron el ojo y la mente humanos gracias a las tecnologías del vidrio es una de las influencias más importantes, y que sin él dicha transformación no habría sido posible. Aunque no se puede demostrar de manera concluyente, parece muy probable que el vidrio fue uno de los factores que más determinó la curiosa evolución hacia un mundo visual, experimental, racionalista, «científico» y realista. Ese mundo desencantado que asociamos a Descartes y Newton nació con el vidrio. Su utilización fue imprescindible en los revolucionarios descubrimientos que entre los siglos XIII y XVIII generaron el nuevo conocimiento fidedigno sobre el que se edificó nuestro mundo.

Esperamos haber logrado esbozar una posible explicación de cómo la ampliación del conocimiento lleva a mejorar las herramientas que permiten seguir explorando, y de cómo esto a su vez se traduce en nuevos conocimientos. Una explicación así ayuda a solucionar el problema largamente debatido de por qué fue Europa, y no el islam o China, la que dio el gran salto hacia una manera nueva y más fidedigna de entender el mundo natural.

Además de como herramienta de pensamiento, el vidrio también sirve para aumentar la comodidad y la eficacia. Entre los siglos XIII y XVIII Europa pudo beneficiarse de estas ventajas, que ayudan a explicar en gran parte sus consecuencias intelectuales. Como hemos visto, lo intelectual y lo material están interrelacionados. Muchas de las maneras en que el vidrio empezó a traducir el aumento del conocimiento fidedigno en nuevos instrumentos para la humanidad abrían a su vez nuevas vías para seguir aumentando rápidamente el conocimiento fidedigno.

Del mismo modo que el vidrio mejoró la comodidad y alargó la jornada laboral gracias a las ventanas, es probable que también influyera en la salud. El vidrio deja entrar la luz, es duro y fácil de limpiar. Esto último lo convirtió en un material atractivo para los escrupulosos romanos, que lo adoptaron para fabricar utensilios, y también para una de las sociedades que más ha utilizado y representado el vidrio: la holandesa. Los Países Bajos, con sus enormes ventanas, fueron sus principales promotores. El vidrio transparente deja pasar la luz, con lo que la suciedad de la casa se ve más, y el vidrio en sí debe estar limpio si queremos que cumpla bien su función. Así pues, favorece la higiene, tanto por su naturaleza como por los efectos que produce. El hecho de que las dos culturas que más utilizaron el vidrio en el siglo XVII, la holandesa y la inglesa, sean ampliamente conocidas por su pulcritud y su buena salud parece guardar relación con este aspecto. Es cierto que la limpieza en las casas japonesas llegó a ser incluso superior sin vidrio, pero probablemente en las regiones más frías del norte de Europa las ventanas tuvieron un papel decisivo al resguardar de las bajas temperaturas.

El nuevo material no sólo influyó en las casas privadas, sino que con el tiempo transformó también la cada vez más extendida sociedad de consumo. Para ello debemos centrarnos en la Inglaterra del siglo posterior. Las láminas de vidrio de plomo producidas con carbón eran ideales para que un país de consumidores pudiera admirar a través de ellas los escaparates de las tiendas. No en vano los extranjeros quedaron maravillados ante ellos en el siglo XVIII. Un francés que viajó a Inglaterra reflejó bien el cambio: «Lo que no tenemos en Francia es este tipo de vidrio, que suele ser muy delgado y muy transparente. Las tiendas están rodeadas de él, y la mercancía se suele colocar detrás, lo que la protege del polvo sin impedir que la vean los transeúntes y ofreciendo buenas vistas desde todos los ángulos».

Además de las casas y las tiendas, el vidrio transformó la agricultura y mejoró el conocimiento que se tenía de las plantas. Utilizarlo en horticultura no fue idea de los primeros europeos modernos. Los romanos habían construido invernaderos y protegido sus uvas con vidrio, idea que se recuperó a finales de la Edad Media. A partir del siglo XIV empezaron a construirse pabellones de vidrio para flores, y más tarde para frutas y verduras. Al abaratarse el vidrio y sobre todo mejorar la calidad de los plafones planos para ventanas, su aplicación dejó de limitarse a la que le habían dado los romanos. Se tiene constancia del cultivo de naranjos en invernaderos de vidrio en 1619 y de la construcción de un invernáculo caldeado en 1684 en el Jardín Botánico de Chelsea. Las campanas y los invernaderos de vidrio mejoraron el cultivo de frutas y verduras, lo que redundó en beneficio de la alimentación, que se volvió más sana. Del mismo modo que el vidrio de las ventanas alargó la jornada laboral de las personas, el de los invernaderos alargó la de las plantas, ya que permitió cambiar el clima, por así decirlo, y aprovechar la energía solar para el cultivo de alimentos nutritivos. La transformación que se está viviendo ahora gracias a la introducción del plástico en muchas zonas frías, secas y expuestas a fuertes vientos del planeta, como en el norte de China, se produjo en otro sentido mucho antes gracias al vidrio.

Por último encontramos muchos otros útiles inventos que modificaron la vida material. Entre ellos las linternas a prueba de tormentas, los carruajes cerrados, los relojes de pulsera, los faros y las farolas. Los viajes y la navegación se vieron favorecidos. ¿Cuán eficaces habrían sido los cronómetros inspirados en el de Harrison de no haber existido el vidrio? Luego están las consecuencias de contar con botellas de vidrio, que han ido revolucionando la distribución y el almacenamiento. Las botellas de vidrio, por ejemplo, transformaron los hábitos del consumo de bebidas, ya que permitían almacenar y transportar más fácilmente vino y cerveza. Dada la gran importancia médica que estas bebidas tienen por los taninos y el lúpulo, el aumento del consumo no sólo se dejó sentir en la producción, el comercio y la agricultura, sino que también mejoró la salud de la gente, que podía así evitar beber agua contaminada. La mayor flexibilidad que el vidrio permitió para almacenar y distribuir supuso una revolución equiparable a la de la congelación y el enlatado en la segunda mitad del siglo XIX.

Así pues, primero con los vasos, las copas y las ventanas, después con las linternas, los faros y los invernaderos, y más recientemente con las cámaras, la televisión y muchos otros artefactos ha ido emergiendo nuestro mundo moderno construido en torno al vidrio. Otra cadena de acontecimientos permitió que el vidrio revolucionara también la salud. Los microscopios hicieron posible el descubrimiento de las bacterias, y la teoría de los gérmenes resultante permitió combatir numerosas enfermedades infecciosas. El vidrio afectó incluso a las creencias del ser humano (las vidrieras de color) y la concepción de sí mismo (los espejos). Penetró en la humanidad por todos los ángulos, pero al principio sólo en una parte del mundo. Estos diferentes aspectos guardaban además una intrincada relación entre sí. Las ventanas, por ejemplo, mejoraron los talleres, las gafas alargaron la vida laboral, y el vidrio de color aumentó la fascinación y la curiosidad por la luz, lo que dio lugar a un mayor deseo de estudiar la óptica. Esta compleja red de interconexiones es lo que hace tan poderoso y fascinante este material casi invisible.

Ahora todo esto parece muy obvio. Sin embargo, si repasamos lo que se ha escrito sobre los orígenes del pensamiento moderno o el papel del vidrio, la relación parece haber pasado mayoritariamente desapercibida. ¿Qué ha hecho que el vidrio pasara por la historia como si hubiera sido invisible? ¿Por qué se ha estudiado tan poco su repercusión social? En concreto, ¿por qué no se ha caído en la cuenta de que es parte fundamental de la respuesta al mayor interrogante de la historia intelectual, el de por qué entre los siglos XIV y XVII algunas zonas del mundo fueron testigo de la revolución del conocimiento que abarca el Renacimiento y la revolución científica? Si aceptamos la relación, la omisión es significativa, porque nos obliga a reflexionar sobre la metodología que requiere el estudio de un fenómeno como el vidrio. Sobre los factores concretamente relacionados con las singulares propiedades del vidrio hemos hablado en la introducción del libro. A continuación resumiremos brevemente algunas consideraciones metodológicas que afectarían al estudio de este y muchos otros fenómenos del pasado.

Creemos que una poderosa influencia en nuestra investigación ha sido la combinación de la historia con la antropología. La antropología es una disciplina en gran medida comparativa; se ocupa de todo el planeta e investiga lo que hay de común y lo que hay de singular en instituciones o sociedades concretas. Los antropólogos intentamos en todo momento detectar ausencias, analizar las variantes comunes, comprobar la fiabilidad de las relaciones causales viendo qué factores parecen ir invariablemente unidos. En ello consiste la antropología y es lo que hemos hecho en este libro al fijarnos en cinco culturas distintas.

Este método comparativo también nos permite detectar elementos generalizados en nuestro entorno. Al contrastar nuestra cultura con otras en las que el vidrio no está presente, obtenemos el marco general en el que se ponen en relieve las peculiaridades. ¿Habríamos llegado a «ver» el vidrio y su importancia si sólo nos hubiéramos ceñido a la historia de un país europeo o incluso de Europa en general? Es preciso salir del sistema para divisar lo obvio. Cuando nos fijamos directamente en un fenómeno, a menudo no hacemos más que atravesarlo con la mirada. Al modificar el ángulo de visión, de pronto salen a la luz nuevos e importantes detalles.

Sólo es posible identificar muchos fenómenos, incluida la mayoría de avances en el conocimiento fidedigno, si se ven como resultado del trabajo de una red de centros muy dispersos interconectados. En el extremo occidental del continente euroasiático las tecnologías del vidrio se desplazaron de un lugar a otro; desde Siria y Egipto hasta Escocia y Escandinavia se extendía un sistema interrelacionado de personas e ideas. En este sistema de múltiples centros, diverso y competitivo, reside el secreto de qué y por qué sucedió. Si hubiéramos concentrado el análisis en un solo país, no habríamos podido observarlo.

El enfoque antropológico se extiende considerablemente en el tiempo. Los antropólogos han intentado rastrear la evolución del *homo sapiens* desde que era un mono hasta la actualidad. Desde este punto de vista mil años es muy poco tiempo, lo cual nos lleva a evaluar los últimos cien mil años en conjunto. Por ello nuestra visión es que los acontecimientos y las tendencias se desarrollan a muy largo plazo. Este amplio marco histórico nos permite ver la revolución del conocimiento (en la ciencia y en el arte) en perspectiva. Podemos investigar el antes, el durante y el después. De este modo podemos discernir con mucha más facilidad las relaciones que se prolongan en el tiempo, ver los vínculos «sepultados» por la historia, lo que permanece oculto o lo que es importante para que las cosas sigan sucediendo aunque se remonte a muy atrás. Un ejemplo relativamente a corto plazo sería el hecho de que para entender cómo surgió la máquina de vapor tengamos que retroceder desde el siglo XVIII por la historia del vidrio hasta el descubrimiento del vacío en el siglo XVII, y de ahí hasta el desarrollo de la técnica del soplado en la Edad Media.

La antropología suele tener un enfoque funcionalista. Se pregunta qué hacen las diferentes instituciones o tecnologías por las sociedades y si lo podrían hacer otras instituciones. Esto es una parte del método comparativo, que pone en relación diferentes fenómenos en diferentes sociedades y a veces muestra que comparten funciones similares y reconocibles. El enfoque comparativo es vital para entender la historia de un fenómeno como el vidrio: el hecho de que no se desarrollase en el extremo oriental del continente euroasiático se debió no a la falta de conocimientos ni de racionalidad, sino a que existían otros elementos que satisfacían la función que el vidrio cumplía en Europa occidental.

La perspectiva antropológica pretende ser holística, es decir, abordar los fenómenos como sistemas complejos e integrados. Un antropólogo podría estudiar, por ejemplo, una tribu, un pueblo o cualquier otro colectivo concreto atendiendo a todos sus aspectos: religiosos, políticos, económicos, sociales y estéticos. Las gruesas barreras erigidas entre estas esferas por la división del trabajo, en su sentido más amplio, con el desarrollo de la «modernidad» son inadecuadas para la mayoría de campos de los que se suelen ocupar los antropólogos. En el caso del vidrio el enfoque holístico nos ayuda a ver la interrelación entre diferentes elementos del pasado. Las distinciones convencionales, útiles al pensamiento como puntos de partida, enseguida dejan de verse como las construcciones abstractas que son y acaban obstaculizando la investigación. La marcada distinción entre la ciencia y el arte, por ejemplo, separa el estudio del Renacimiento artístico del de la revolución científica o del de otros avances científicos, como los producidos en los siglos XIII y XVII. Al abordar los fenómenos desde una perspectiva holística, podemos ver que navegamos por un amasijo inmensamente complejo de elementos interconectados, entre ellos desde la tecnología hasta la religión, y que sólo puede estudiarse si dejamos atrás las fronteras entre las diversas disciplinas.

La antropología es también lo que podríamos llamar materialista. Cada vez hay más tendencia, al menos desde las obras de Descartes, de mediados del siglo XVII, a separar lo material y físico —el ámbito de las ciencias naturales— de lo intelectual y lo social. Contra esta división también ha luchado la antropología. Los antropólogos suelen trabajar con culturas vivas, por lo que casi nunca olvidan que el mundo físico no está separado del mental, algo que suele perderse de vista cuando se trabaja tan sólo con fuentes escritas. Para ellos los utensilios y las tecnologías siempre han sido importantes objetos de estudio. Incluso tienden a dividir la materia en función de criterios tecnológicos: modos de producción y herramientas, por ejemplo. Muchas veces han reunido utensilios para museos y han llamado la atención sobre la relación entre los objetos materiales y los conceptos sociales. Por lo tanto a un antropólogo no le sorprendería descubrir que algo tan físico como el vidrio podría haber transformado el mundo. De hecho han sido varios los antropólogos de renombre que han arrojado luz sobre el papel que han desempeñado diversas tecnologías en la evolución social.

Podríamos expresarlo de manera ligeramente distinta. Para nosotros es muy difícil ver la interrelación entre lo material y lo intelectual. En un intento de ahondar en esta cuestión, desarrollamos la idea de que gran parte de la evolución social puede entenderse como un movimiento triangular. Se produce un aumento del conocimiento teórico, de algún tipo de conocimiento fidedigno. Éste se traduce en la mejora o la creación de utensilios físicos. Si resultan útiles, tienen demanda y son fáciles de producir, los utensilios se difunden. Esto hace que las condiciones de vida cambien y que se abran nuevas vías para seguir explorando a nivel teórico. Este triángulo se ha producido en muchos ámbitos de la vida, y la velocidad con que se completa la secuencia y vuelve a empezar es la base de lo que llamamos desarrollo de la humanidad.

La historia del vidrio es una excelente muestra de este constante intercambio entre lo material y lo teórico. Los avances teóricos en matemáticas y óptica, por ejemplo, llevaron a la creación de las lentes y los espejos, que proliferaron y permitieron a su vez dar nuevos pasos teóricos; éstos dieron lugar a los microscopios y los telescopios, que luego mejoraron la salud y la agricultura e hicieron posible que se siguiera investigando.

De hecho llega un momento en que resulta difícil distinguir lo material de lo teórico. Los antropólogos ven desde hace tiempo la tecnología como una mezcla de cosas e ideas, de ideas que se han incrustado o que han cuajado en objetos, de objetos cuyo poder emana de las prácticas que regulan su uso. Así, a menudo se define la tecnología, en palabras de Marcel Mauss, como una «acción tradicional efectiva». Son maneras de entender y cambiar el mundo en las que están implicadas cosas e ideas. No hay ejemplo más ilustrativo que el del desarrollo simultáneo de ideas y técnicas en la producción de vidrio. El vidrio es una herramienta de pensamiento a la vez que una herramienta con pensamiento incrustado. Su singularidad radica en que se trata del único material que influye directamente en la manera en que los hombres ven el mundo, el único material que amplía el órgano de un sentido humano, y el más poderoso, el ojo.

Para entender el mundo la antropología se sirve de un enfoque que podríamos llamar «estructuralista». Los antropólogos se han fijado mucho menos que los historiadores en personas, acontecimientos u objetos concretos importantes y se han centrado en sus relaciones, en las fuerzas de equilibrio y en el momento en que éstas han actuado sobre aquéllas. En el caso que nos ocupa no se trata sólo de comprobar si había o no vidrio, sino de ver cómo afecta a las relaciones entre el ser humano y la naturaleza, y cómo encaja con otros factores causales que también deben tenerse en cuenta. Esto se suele combinar con el método dialéctico, que analiza fuerzas incesantes a través de una serie de opuestos, contradicciones y resoluciones, como en la conocida dialéctica de la tesis, la antítesis y la síntesis. La antropología hace hincapié en las estructuras sociales y en las actuaciones coordinadas de la gente, profundamente influida, sin embargo, por sus redes sociales, y analiza hasta qué punto la cultura incentiva su comportamiento. No se considera que el avance del conocimiento fidedigno sea como subir peldaños de una escalera a los que podemos asignar nombres célebres como Alhazen, Grosseteste, Leonardo, Kepler, Newton o Einstein. Estos nombres nos sirven como herramientas mnemotécnicas, como ejemplos y catalizadores de corrientes de pensamiento mucho más amplias.

Además, aunque no es exclusivo de la antropología, por supuesto, la experiencia de tratar de comprender numerosas sociedades y culturas enseña a los antropólogos que las causas directas son muy complejas. No basta con quedarse con la estrecha idea de que cada efecto tiene una única causa, ni de que causa y efecto tienen que coincidir en el tiempo y en el espacio. Cuando somos conscientes de lo largas que pueden llegar a ser las concatenaciones de causas, es fácil ver que si falta un paso, aunque sea muy al principio, el resultado final diferirá. Ya vimos lo importante que este aspecto es en el vidrio cuando analizamos las veces que se necesitó el material en las distintas fases de procesos que culminaron en un descubrimiento, aunque no fuera el factor inmediatamente necesario. Si no tenemos en cuenta estas complejas trayectorias, no seremos capaces de ver las influencias indirectas y en parte ocultas, pero al mismo tiempo poderosas, de algo tan difuso y complejo como es el vidrio.

Si nos fijamos en la historia y nos basamos principalmente en fuentes escritas, nos suele impresionar la premeditada, planeada, racional y decidida naturaleza de la vida humana. Esto fácilmente puede hacernos caer en una especie de pensamiento teleológico, hacernos pensar que los acontecimientos más importantes están planeados e ideados por el hombre (o por Dios). Al estudiar las civilizaciones a lo largo del tiempo y en sus diversas interacciones, e investigar con minuciosidad la vida diaria, en la que las personas muestran muy poca conciencia de las consecuencias que pueden tener sus acciones, a los antropólogos no se les olvida lo importantes que son las consecuencias inesperadas. La importancia de lo aleatorio, de la suerte y de la variación salta a la vista.

Esto nos ayuda a ver con más claridad que en buena medida la historia del vidrio parece haber sido toda una serie de accidentes felices y efectos inesperados. Lo que sucedió se ajusta mucho a un modelo darwiniano, basado en la selección natural. Ilustra «la variación aleatoria y la conservación selectiva». Objetos que se inventaron con un fin se destinan después a otros. Éste es el hecho más importante de la historia del vidrio. Se desarrolló para fabricar objetos bellos y útiles, y sólo un colosal accidente quiso que este mágico material ampliara también la visión del hombre y transformara así el pensamiento. Sin él nuestra moderna y próspera cultura no existiría. Podríamos llamarlo, como apuntó un amigo, el «efecto Igor». El tarro vacío de miel que tanto decepcionó al asno Igor cuando Pooh se lo entregó se transformó en algo maravilloso al estallar el globo de Piglet: un útil tarro en el que guardar cosas (nunca mejor dicho, al tratarse de otra de las aplicaciones del vidrio). Los antropólogos observan el efecto Igor a diario. Ven cómo herramientas o técnicas nuevas —hachas de acero, un nuevo cultivo, un sistema de riego, un arma, los cubos de plástico o el críquet— muchas veces se explotan de maneras que al principio no se habían previsto.

Además una nueva tecnología puede transformar una cultura más allá de la zona en la que actúa, lo que permite que sucedan muchas otras cosas nuevas. Esto ayuda a los antropólogos a entender la naturaleza acumulativa del avance tecnológico, a la que podríamos referirnos como el «efecto mecano», pues es como colocar una nueva pieza en el famoso juego de construcción.

En general añadir una pieza de conocimiento fidedigno —las técnicas de soplado, la fabricación de espejos de calidad o el vidrio flint, por ejemplo— no suponía incorporar simplemente un nuevo elemento a la lista de cosas que el hombre es capaz de hacer. De hecho conllevaba la posibilidad de hacer decenas de cosas nuevas. Con el vidrio sucedía como cuando colocamos una rueda en un mecano y modificamos la función de todo el conjunto. A menos que se interrumpa, esto hará que se amplíen exponencialmente el conocimiento fidedigno y la eficacia. Así se han producido los enormes avances de los últimos trescientos años, durante los que la comprensión y el control de la naturaleza por parte del ser humano han crecido a un ritmo más acelerado que el previsible. La historia del vidrio es un buen ejemplo de ello. Su influencia y sus efectos han ido aumentado y se han ido acelerando, y el vidrio no ha supuesto tan sólo un recurso más para la humanidad, sino que ha permitido que se innovara en muchas otras tecnologías. La mejor tecnología no sólo ha permitido hacer mejores vasos, copas, espejos y ventanas, sino que también ha influido en la salud, la vivienda, el pensamiento, las comunicaciones, los viajes, el consumo y otros muchos ámbitos.

Argumentándolo en negativo vemos la fuerza que tiene esta idea. Quienes innovan, sea aportando nuevos conocimientos o generándolos gracias al uso de utensilios (como el vidrio), deben utilizar lo que tienen a su alcance. Si no tienen a su disposición ni los conocimientos ni los utensilios, es muy difícil que puedan utilizarlos, ya que están en un segundo nivel de innovación, cuando una innovación se construye sobre otra. Esto lo encontramos hoy en día: la percepción de que se desea seguir innovando y de que resulta difícil porque se necesita una innovación intermedia para conseguirlo. Sin embargo, las capacidades humanas son muy limitadas y no podemos remontarnos tan atrás. Los primeros estudios sobre el barómetro en Italia, por ejemplo, o sobre el vacío en Inglaterra requerían instrumentos de vidrio muy complejos. Si no se hubiera fabricado vidrio de calidad adecuada en la zona, no se habría podido experimentar ni con el barómetro ni con el vacío. Los chinos no podrían haber fabricado un buen barómetro ni una cámara de vacío con cristal de roca. Y evidentemente no habrían desarrollado el vidrio durante miles de años sólo por si acaso algún día podía serles útil para fabricar un barómetro. La disponibilidad de vidrio en Italia cuando se creó este instrumento fue una coincidencia fortuita. La gente que vivía en las islas Orkneys a mediados del siglo XVII no tenía medios ni para construir un barómetro ni para inventar la cámara de vacío.

Lo que sucede es que la innovación funciona de forma similar a la selección natural, en el sentido de que la gente utiliza lo que tiene a su alcance. No obstante, no basta con tener lo necesario a su alcance. Los romanos disponían de vidrio, pero. carecían de la capacidad de innovar generando conocimiento fidedigno abstracto a gran escala. A mediados del siglo XVII confluyeron en Italia y en Inglaterra el vidrio y la curiosidad necesaria; sin embargo, si en China hubiera habido vidrio en la primera mitad del siglo XVII, parece muy poco probable que se hubieran descubierto allí el microscopio, el telescopio y el barómetro. No hay por qué creer que su sola presencia habría tenido ese efecto. La presencia del vidrio es una condición selectiva, necesaria, pero no suficiente.

Existe una amplia corriente que nos ayuda a contrarrestar la opinión, muy extendida en nuestra calculadora sociedad, inundada por la tecnología, de que una vez descubierta una nueva tecnología es inevitable conservarla y mejorarla. La antropología y la arqueología han mostrado que el abandono de tecnologías en apariencia útiles ha sido un fenómeno habitual en todos los tiempos. Se ha dejado que desaparezcan sistemas de regadío, se han abandonado anzuelos de pesca y se han relegado la rueda e incluso sistemas de escritura. Así pues, no es tan sorprendente que el vidrio quedara prácticamente abandonado en Asia oriental.

El estudio de la humanidad debe atender a nuestra evolución tanto biológica como social; de ahí que en el capítulo anterior examináramos nuestra hipótesis sobre las causas de la miopía.

Una de las características más celebradas (y denostadas) de la antropología es su relativismo cultural. Describe y analiza las diferentes maneras en que el ser humano se enfrenta a los desafíos que le plantea la vida, pero en general se abstiene de juzgar cuáles son moralmente mejores. Esta perspectiva nos es útil para investigar cómo intentaron superar los dos extremos del continente euroasiático la dificultad de conservar e incluso aumentar el conocimiento fidedigno.

Hace unos años el historiador económico y demógrafo japonés Akira Hayami distinguió entre las culturas de Asia, que intentaron potenciar la producción agrícola y artesanal aumentando la mano de obra –lo que conocemos como «revolución industriosa»–, y las culturas del otro extremo del continente euroasiático, que optaron por sustituir la mano de obra por máquinas y energía no humana –la famosa «revolución industrial». Es curioso ver cómo estas diferencias se reproducen en las estrategias seguidas en todo el mundo para aumentar el conocimiento fidedigno.

En Asia oriental tuvo lugar una revolución industriosa: el aumento de la alfabetización, la imprenta en planchas xilográficas, la multiplicación de los caracteres escritos, la ampliación de la escolarización y los sistemas de evaluación. Esto supuso una enorme presión para el ojo, que pasó a convertirse, con el incremento gradual de la miopía, en una especie de falsa lupa capaz de hacer lo que en Occidente sólo se conseguía con instrumentos de vidrio. La intensificación de la producción intelectual presenta también interesantes paralelismos con la extrema atención por el detalle y con la intensificación del trabajo tanto en los numerosos oficios artesanales que se realizan en la zona como en la producción de arroz.

En el extremo occidental del continente euroasiático no se forzó el cuerpo humano de la misma manera. Su principal órgano de conocimiento se fue reforzando con la aparición de nuevos instrumentos de vidrio, mientras que los músculos se apoyaban en nuevas herramientas que ponían el viento, el agua y la fuerza animal al servicio del trabajo humano. Por consiguiente, se desarrolló toda una serie de «máquinas» de pensamiento: las primeras gafas, los prismas y las lupas, los espejos, los telescopios y los microscopios. Mientras en Oriente se producía la revolución industriosa, en Occidente tenía lugar una revolución industrial del intelecto.

El relativismo no permitía al antropólogo considerar una opción mejor que la otra; se trataba de procesos diferentes, cada uno con sus puntos fuertes y sus puntos débiles. Lo que ha sucedido es simplemente que la vía abierta por la revolución industriosa empieza a agotarse, porque está dando menos réditos, mucho antes que la vía abierta por las máquinas de pensamiento, que todavía mantiene su potencial en un mundo que tanto se fundamenta en el vidrio, sea a través de la informática, las redes de fibra óptica o la televisión y la fotografía.

Aun así, no deberíamos excedernos al establecer la analogía entre «industrioso» e «industrial», pues podría llevar a equívocos y desviarnos de otras diferencias más importantes en este contexto. La diferencia esencial podría ser otra. En Occidente se extendía cada vez más la idea de que era posible generar otra clase de conocimientos experimentando y «torturando» la naturaleza. A medida que esta idea arraigaba en Europa a través de una red dispersa pero eficaz, que descansaba sobre instituciones como las universidades, al principio concebidas para otros fines bien distintos, fueron surgiendo nuevos enfoques destinados a generar conocimiento, hacerlo más fidedigno y comunicarlo con cada vez más precisión. En Oriente apenas se abrió esta vía, pues no se reconoció la existencia de este cuerpo de conocimiento, y la curiosidad que se requería para ir diligentemente en su búsqueda era escasa. En este contexto la presencia o ausencia de vidrio transparente se convierte en un elemento crucial y posibilitador. Por expresarlo con más contundencia, aunque China y Japón hubieran desarrollado el vidrio a gran escala, sigue siendo muy dudoso que el desarrollo del conocimiento fidedigno hubiera alcanzado el nivel al que se llegó en algunas zonas de Occidente.

Con todo, es fundamental recordar que el vidrio es sólo una causa posibilitadora, quizá necesaria, de la profunda transformación de los métodos para obtener conocimiento fidedigno y de que se obtuviera en tales cantidades, pero que está lejos de ser una causa suficiente. Podríamos decir que el vidrio fue una causa necesaria para que se desarrollaran nuevos sistemas de pensamiento en Occidente y para que esto no sucediera en Oriente, pero no bastaría en sí misma. Se precisaron muchas otras cosas. La compleja situación resultante se debió a multitud de factores interrelacionados. Así pues, este libro no es más que una parte de la historia de cómo surgió el mundo moderno.

APÉNDICE I

Tipos de vidrio

En este libro se habla de tres grandes grupos o tipos de vidrio: de sosa, de potasa y de plomo. Se menciona también un cuarto tipo, el cristal de Venecia, aunque forma parte del primer grupo. El principal componente de todos estos vidrios es la sílice, conocida en química con el nombre de dióxido de silicio, cuarzo o cristal de roca. La arena está formada por granos de cuarzo. De hecho podríamos considerar que el vidrio es cuarzo, que en forma pura resulta muy difícil de trabajar, y para modificarlo debe mezclarse con otras sustancias químicas. El resultado es un material al que se puede dar forma a una temperatura más práctica, ya que pasa por una fase semilíquida.

La sílice forma alrededor del 44 por ciento del manto terrestre, lo que la convierte de lejos en el compuesto más abundante. Se funde a 1.726 grados centígrados, una temperatura excesiva para los primeros hornos. Además, cuando se funde, lo hace rápidamente, sin pasar por un proceso gradual de ablandamiento a medida que gana temperatura, lo que permite moldear el vidrio con tan buenos resultados.

Para reducir la temperatura de fusión de la sílice, que se suele presentar en forma de arena blanca, se mezcla con otros compuestos químicos, como sosa (carbonato sódico) o potasa (carbonato potásico). La sosa se funde a 851 grados centígrados, y la potasa, a 901. Esto es lo que produce el «fuego blanco» en las hogueras de carbón o de coque cuando hay buena corriente.

Desde el momento en que se alcanzan estas temperaturas, estas sustancias se descomponen y producen grandes volúmenes de dióxido de carbono. Al mezclarse con el aire (oxígeno y nitrógeno) atrapado en la mezcla original, se produce una masa muy espumosa. Actualmente el vidrio se fabrica en hornos a 1.500-1.600 grados centígrados; a estas temperaturas la masa está muy líquida, y las burbujas más grandes suben a la superficie. Se pueden añadir además pequeñas cantidades de óxido de arsénico o de antimonio, que ayudan a eliminar las burbujas más pequeñas.

Estas ventajas no se pudieron aprovechar hasta mediados del siglo XIX. Los hornos alcanzaban temperaturas muy inferiores; de ahí que en muchas piezas de museo veamos gran cantidad de burbujas, algunas incluso de gran tamaño.

Los vidrios fabricados con sílice y sosa o con sílice y potasa únicamente no son muy estables; el agua e incluso la humedad del ambiente los van desintegrando. Para dar estabilidad al vidrio, tanto al sódico como al potásico, se añade un pequeño porcentaje de óxido de calcio (5-10 por ciento). Antes se solía introducir accidentalmente a través de las impurezas de la arena, como conchas de mar. El vidrio sódico suele estar compuesto por un 73 por ciento de sílice, un 17 por ciento de óxido de sodio (de la sosa), un 5 por ciento de óxido de calcio (de piedra caliza o por la inclusión accidental de sustancias cálcicas, como las conchas marinas) y un 5 por ciento de otros óxidos, como el de magnesio o el de aluminio.

Algunas zonas del mundo poseen grandes yacimientos de sosa, entre ellas Egipto, de donde se extrajo la sosa utilizada por la industria vidriera del Mediterráneo oriental hasta los años 700-800 d.C. Luego se hizo más difícil seguir obteniéndola y empezó a extenderse el uso de cenizas de una planta de zonas pantanosas saladas, la barrilla, que contenía sosa.

En muchas zonas interiores la sosa era más difícil de conseguir, por lo que se acabó sustituyendo por potasa. Este compuesto se encuentra en las cenizas de muchas plantas, como el helecho y la haya, dos fuentes muy utilizadas, de modo que los bosques situados cerca de arena limpia se convirtieron en centros de producción de vidrio, del llamado «vidrio forestal». La descripción de cómo se fabricaba el vidrio en la Edad Media realizada por Theophilus, un monje germano, hacia el año 1120 d.C. explica que se utilizaban cenizas de madera.

El vidrio potásico suele contener un 10-13 por ciento de potasa y, al igual que el vidrio sódico, suele estabilizarse accidentalmente por la presencia de impurezas de cal en la materia prima. Aun así, se desintegra y erosiona más fácilmente por acción del agua que el vidrio sódico. Las proporciones de los principales ingredientes del vidrio, es decir, la sílice, la sosa, la potasa y la cal, son muy variables y cada centro de producción tiene sus propias costumbres a la hora de preparar las mezclas. En la actualidad no es difícil descubrir el origen del vidrio medieval fabricado en Europa u Oriente Próximo; basta con analizar al detalle su composición.

La arena, incluso la conocida como «arena blanca», no suele ser blanca, al contrario de lo que podría parecer, sino parduzca. Gran parte de su color se debe a los óxidos de hierro, que confieren al vidrio un tono verdoso. Las botellas de vidrio antiguas pueden llegar a presentar un color verde muy intenso, mientras que en las ventanas actuales el tono verdoso se puede observar en los bordes.

La mejor manera de conseguir vidrio transparente es utilizando materias primas puras. Para el famoso cristal veneciano la mejor fuente de sílice eran los blancos guijarros de cuarzo del lecho del río Ticino, que nace en los Alpes suizos y discurre por el norte de Italia. Estos guijarros se quemaban en los hornos y luego se molían para mezclarlos con la sosa de la barrilla, que a su vez se había purificado previamente disolviéndola en agua y volviéndola a cristalizar. Al emplear estas dos materias primas puras se obtenía un vidrio transparente fácil de trabajar, pero por desgracia muchas veces el contenido de cal (óxido de calcio) resultaba insuficiente, por lo que los objetos se desintegraban fácilmente con el tiempo.

Antes del siglo X se fabricaban ya vidrios con un alto porcentaje de cristal de plomo en China, y a principios del siglo XVII en Murano, isla de producción vidriera en la laguna veneciana. El cristal de plomo es muy estético, muy brillante, centelleante incluso, y es fácil de tallar y pulir en un torno. Se empleaba en color para fabricar piedras preciosas de imitación.

En la década de 1670 se desarrolló en Inglaterra un cristal de plomo transparente (que solía estar compuesto por un 51-60 por ciento de sílice, un 28-38 por ciento de óxido de plomo y un 9-14 por ciento de potasa) para competir con el cristal de estilo veneciano, del que se importaban enormes partidas. Este nuevo vidrio tuvo mucho éxito, y dio lugar a vasos y cuencos recios y lustrosos que se grababan muy bien. Como material para fabricar recipientes y contenedores, el cristal de plomo no ocupó un lugar significativo en nuestra historia del auge de la cultura occidental, pero el azar quiso que tuviera notables propiedades ópticas. Éstas no se descubrieron hasta cincuenta años después, pero permitieron mejorar considerablemente la calidad de la imagen en los primeros telescopios y más tarde en los microscopios.

APÉNDICE 2

La función del vidrio en veinte experimentos que han cambiado el mundo

Hace seis o siete años tuvimos la corazonada de que el vidrio podría haber desempeñado un papel especialmente interesante en el desarrollo de nuestra científica e industrial civilización occidental. Hasta dos o tres años después no nos dimos cuenta de que la casi total ausencia de vidrio transparente en Asia hasta el siglo XVII nos ofrecía la posibilidad de comparar la innovación, incluida la del conocimiento, en los dos extremos de la región euroasiática.

La primera sospecha de que el vidrio había sido absolutamente trascendental para el desarrollo de Occidente surgió al observar que el microscopio, el telescopio y el barómetro habían revolucionado la biología, la medicina, la astronomía y la química. A fin de ahondar en la relevancia que tuvo el vidrio para la ciencia, y por consiguiente para el desarrollo del mundo moderno, hemos analizado los veinte experimentos elegidos por el respetadísimo historiador de la ciencia de Oxford Rom Harré en su libro *Grandes experimentos científicos: veinte experimentos que han cambiado nuestra visión del mundo.*

Harré no se basó en la presencia o ausencia de vidrio a la hora de decantarse por unos experimentos u otros, por lo que su selección nos puede servir como muestra aleatoria y objetiva para reforzar o refutar la tesis de que el vidrio fue fundamental para el progreso científico.

De los veinte experimentos descritos, dieciséis no habrían podido llevarse a cabo sin aparatos de vidrio, a veces un recipiente transparente, a veces una pieza óptica, como prismas o lentes. A continuación presentamos una breve descripción de los experimentos y del papel que el vidrio desempeñó en ellos. Las fechas son por fuerza imprecisas. Algunas fechas no se conocen con exactitud, como en el caso de Aristóteles; en otros casos los experimentos abarcaron periodos de varios años.

1. ARISTÓTELES (h. 350 a.C.)
   Describió el desarrollo del embrión del pollo. No utilizó vidrio.

2. WILLIAM BEAUMONT (h. 1833)
   Aprovechando el orificio permanente que un camillero del ejército tenía en el estómago a consecuencia de un accidente con un mosquete, este médico del ejército estadounidense llevó a cabo experimentos para observar el proceso digestivo. Utilizó recipientes de vidrio (podría haberlos sustituido, con desventajas considerables, por recipientes de cerámica). Para medir la temperatura del estómago y de experimentos realizados en recipientes utilizó un termómetro líquido de vidrio.

3. ROBERT NORMAN (h. 1581)
   Midió por primera vez con rigor la inclinación magnética, es decir, la tendencia de la aguja de una brújula equilibrada sobre el eje, una vez imantada, de inclinarse hacia el centro de la tierra y buscar el norte y el sur. Para el experimento sumergió la aguja en agua en una enorme copa de vidrio.

4. STEPHEN HALES (h. 1716-1724)
   Estableció los movimientos ascendentes y descendentes de la savia en las plantas, que observó fijando un tubo de vidrio en el extremo de una rama con un tubo de plomo.

5. KONRAD LORENZ (h. 1926-1938)
   Llevó a cabo experimentos para determinar la impronta genética: cómo los ejemplares jóvenes de una especie adquieren

patrones fijos de conducta durante una primera etapa de desarrollo. No necesitó el vidrio.

6. GALILEO (h. 1603)

Investigó la aceleración haciendo rodar una pequeña bola de bronce por una ranura abierta en un tronco de madera y cronometrando el movimiento con el pulso. No necesitó vidrio.

7. ROBERT BOYLE Y ROBERT HOOKE (h. 1662)

Midieron el volumen del aire atrapado en uno de los extremos de un tubo con forma de U introduciendo diferentes cantidades de mercurio por el otro extremo, que estaba abierto. La posibilidad de fabricar un tubo de vidrio largo y resistente, de darle forma curva y de sellarlo por un extremo fue esencial para poder llevar a cabo este experimento.

8. TEODORICO DE FRIBURGO (h. 1300)

Llenó un recipiente esférico de vidrio soplado, posiblemente un bacín, con agua limpia y lo sostuvo a la altura de la vista de espaldas al sol. El efecto simulaba la formación del arco iris por las gotas de lluvia. Necesitó el vidrio, que a través de su forma en el recipiente cumplió funciones ópticas.

9. LOUIS PASTEUR (1880)

Preparó vacunas artificiales para proteger de enfermedades infecciosas mediante cultivos espaciados en el tiempo. El uso del microscopio óptico con sus lentes de vidrio fue esencial para identificar y aislar los microbios.

10. ERNEST RUTHERFORD (h. 1919)

Fue el primero en conseguir la transmutación artificial de un elemento (nitrógeno) en otro (hidrógeno). Se valió de un recipiente fabricado básicamente con vidrio para almacenar los gases durante el experimento.

11. A.A. MICHELSON Y E.W. MORLEY (1887)

Intentaron descubrir el movimiento de la tierra en el espacio comparando la velocidad de dos haces de luz que se propagaban en direcciones distintas y formando un ángulo recto. El intento fue fallido, pero un buen resultado negativo muchas veces es tan útil como los positivos. Junto con otros descubrimientos, le valió a Michelson el Premio Nobel. El aparato del que se sirvieron tenía una óptica de gran precisión, con vidrio en muchos espejos y lentes.

12. JACOB Y WOLLMAN (1956)

Investigaron los mecanismos de la herencia y la transmisión directa de material genético entre bacterias. La utilización del microscopio óptico fue esencial para identificar y aislar las bacterias.

13. J.J. GIBSON (1962)

Se interesó por cómo percibimos los objetos que nos rodean en la vida diaria. Realizó una serie de experimentos que demostraron que la percepción era un proceso mucho más complejo que el simple acto de mirar y tocar. No necesitó el vidrio.

14. ANTOINE LAVOISIER (1774)

Calentó mercurio y obtuvo óxido de mercurio, que a su vez calentó en un matraz de vidrio acampanado apoyado sobre un tubo de agua para regenerar el oxígeno. Calentó las sustancias durante doce días utilizando una gran lente de vidrio que concentraba los rayos del sol sobre el mercurio a través del vidrio del matraz acampanado. El vidrio, presente en diferentes formas, fue clave en todas las fases del experimento.

15. HUMPHRY DAVY (1808)

Aisló potasio, sodio y otros seis metales elementales fundiendo sus sales y haciendo pasar corriente eléctrica. El vidrio no fue indispensable para el experimento principal (para los recipientes de las pilas que utilizó, por ejemplo, podría haber empleado cerámica en vez de vidrio). Sin embargo, fue necesario para los recipientes en los que recogió y analizó los gases obtenidos, y por lo tanto para determinar la reacción que se había producido.

16. J.J. THOMPSON (1897-1903)

En un tubo de vidrio sellado lleno de gas a muy baja presión –precursor del actual tubo de rayos catódicos que se emplea en los televisores– utilizó placas deflectoras con carga eléctrica para desviar el haz de rayos catódicos y demostrar que existían partículas todavía más pequeñas que los átomos, lo que hoy llamamos electrones.

17. ISAAC NEWTON (1672)

Utilizó tres prismas de vidrio y una lente para descomponer la luz blanca del sol en los colores del espectro, para reunirlos de nuevo y crear luz blanca, y para volverlos a separar.

18. MICHAEL FARADAY (h. 1833)

Se sabía que la electricidad se podía generar de diversas maneras: con pilas o baterías, mediante la fricción de un aislante como el ámbar o el vidrio, moviendo un imán contra un hilo conductor, calentando la unión de dos metales distintos o por producción animal, como en el caso de la anguila eléctrica. Faraday llevó a cabo una serie de experimentos que demostraron que la electricidad era idéntica, independientemente de la fuente que la generara. Utilizó ampliamente el vidrio como aislante y para fabricar recipientes donde almacenar la electricidad, que hoy se conocen como botellas de Leyden.

19. J.J. BERZELIUS (1810)

Mediante una exhaustiva serie de experimentos determinó por primera vez el peso atómico de cuarenta y cinco elementos con precisión. Los aparatos de vidrio fueron fundamentales para calcular con exactitud el volumen de los líquidos, en lo que fue pionero, y para manipular los gases.

20. OTTO STERN (1923)

Demostró que los haces de átomos o moléculas creados por la vaporización de los materiales empleados en los experimentos se comportaban como partículas y ondas. El vidrio no es imprescindible para los principales aparatos que utilizó, pero está presente en los instrumentos accesorios, como las bombas de vacío y las placas fotográficas.

Procedencia de las citas

La información bibliográfica completa de las obras de las que se han extraído las citas figura en la bibliografía general.

1. EL VIDRIO INVISIBLE

McGrath y Frost, p. 297; Honey, *Glass*, p. 1; el doctor Johnson (*Rambler* núm. 9, 17 de abril de 1750) aparece citado en McGrath y Frost, p. 5.

2. EL VIDRIO EN OCCIDENTE: DE MESOPOTAMIA A VENECIA

La versión española del epígrafe de Milton es de Bel Atreides, *Paraíso perdido*, Barcelona, Galaxia Gutenberg/Círculo de Lectores, 2005. Tait, p. 166 (Agricola); W.R. Lethaby, citado por McGrath y Frost, p. 104 (catedrales medievales). La referencia a Houghton pertenece a un artículo sobre el vidrio de la *Encyclopedia Britannica*.

3. EL VIDRIO Y LOS ORÍGENES DE LA CIENCIA

La versión española del epígrafe de Shelley es de Manuel Altolaguirre y Antonio Castro, *Adonais*, México, Polis, 1938. La célebre observación de Einstein sobre los orígenes de la ciencia es recogida por Crombie, *Science*, p. 41. Las citas de Grosseteste y Bacon, en Crombie, *Science, Optics*, pp. 198, 201-202.

4. EL VIDRIO Y EL RENACIMIENTO

Epígrafe: Leonardo, *On Painting*, p. 21 (trad. española de Ángel González García: *Tratado de pintura*, Madrid, p. 31). La referencia al arte diagramático aparece en Gombrich, *Art*, p. 144 (trad. española: p. 116); Filarete hablando sobre Brunelleschi, en Damisch, p. 63 (se han omitido las frases en italiano); la descripción del espejo como maestro de pintores por Leonardo, en *Notebooks*, vol. II, p. 219 (en la traducción española hemos optado por tomarla del *Tratado de pintura*, Madrid, p. 142); Leonardo explicando cómo pintar con un espejo, en *On Painting*, p. 202 (trad. española: p. 374); la cita de Leonardo sobre la perspectiva vista a través de un vidrio plano, en Wright, p. 87 (trad. española: *Tratado de pintura*, Madrid, p. 142); la cita de Leonardo sobre las pirámides visuales, en *Notebooks*, vol. II, p. 48; la cita de Leonardo sobre el uso de un vidrio del tamaño de medio folio, en *On Painting*, p. 216 (trad. española: *Tratado de la pintura*, Buenos Aires, p. 53). Todas las citas de Thunberg, vol. III, p. 284.

5. EL VIDRIO Y LA CIENCIA MODERNA
Bacon, *New Atlantis*, p. 214 (trad. española: pp. 186-187); cita de Knowles Middleton, p. 3.

7. CHOQUE DE CIVILIZACIONES
Todas las citas de Du Halde, vol. II, pp. 126-128; Williamson, citado en Battie y Cottle, p. 214; misión del embajador Macartney, en Cranmer-Byng, p. 299; Thunberg, vol. IV, p. 60; Screech, pp. 137, 194; Sullivan, pp. 41-42; Clunas, p. 184; Sullivan, p. 43; Clunas, pp. 176-177; Sullivan, pp. 43, 58, 80; Bowie, pp. 75-76; Rasmussen, *Spectacles*, p. 56; Gombrich, *Art and Illusion*, p. 73 (trad. española: p. 86); Sullivan, p. 19; Rasmussen, *Spectacles*, p. 56; Binyon, *Flight*, p. 10.

8. EL DILEMA DE LAS GAFAS
La primera cita es de Bird, p. 165. Los pasajes de Rasmussen pertenecen a su opúsculo *Spectacles*. La reseña televisiva es de Robert Hanks, *The Independent*, 7 de julio de 1999. Las demás citas, por orden: Bird, p. 165; embajada Macartney: Cranmer-Byng, p. 299; Hommel, p. 197; Browning, p. 109; Dyer Ball, p. 227; Trevor-Roper, *Blunted*, p. 42; Morse, vol. II, pp. 105-106; Li Yu, p. 117 (trad. española: p. 147); Mann y Pirie, pp. 146, 159, 160; Trevor-Roper, *Blunted*, pp. 21-22.

9. VISIONES DEL MUNDO
Epígrafe: McGrath y Frost, p. 5.

Bibliografía complementaria

Hemos prescindido de notas a pie de página y citas bibliográficas para no saturar el texto. Sin embargo, este libro está en deuda con muchos otros. Indicamos aquí algunos libros y artículos utilizados en cada capítulo para que el lector pueda profundizar en los aspectos que le interesen. Los títulos completos de las obras citadas figuran en la bibliografía general. Si desea más información sobre el vidrio y su historia, puede visitar la página web: www.alanmacfarlane.com/glass.

1. EL VIDRIO INVISIBLE

La sección dedicada al vidrio por Lewis Mumford en *Técnica y civilización* fue una fuente importante al empezar a escribir el libro. Los relojes y la imprenta: Landes, Eisenstein. Peculiaridad del vidrio como material: McGrath y Frost, Honey, *Encyclopedia Britannica* (entrada «Glass»). Obras generales interesantes para ampliar algunos aspectos que se tratan en el libro: Adams, Crosby, Gregory, Park, Perkowitz.

2. EL VIDRIO EN OCCIDENTE: DE MESOPOTAMIA A VENECIA

Estudios generales sobre el vidrio en este periodo: Battie y Cottle, Tait, Honey (varios), Klein y Lloyd, Singer et al., *Encyclopedia Britannica* (entradas «Glass» y «Mirrors»), Liefkes, McGrath y Frost, Vose, Derry y Williams, *Chambers Encyclopedia* (entrada «Glass»), Dauma, *Encyclopedia of World Art* (vol. VI), Hayes, Moore, Bray, Zerwick. El vidrio primitivo y romano: Allen, James y Thorpe, Bowerstock et al. El vidrio entre los años 400 y 1200: Hayes, Dopsch, Wilson, Theophilus. El vidrio entre los años 1200 y 1700: Godfrey, Braudel, Mumford, Davies, Anglicus, Ashdown, Houghton, «L'Art du Verre».

3. EL VIDRIO Y LOS ORÍGENES DE LA CIENCIA

Nos hemos basado principalmente en Crombie y en Lindberg. Otras obras complementarias: Huff, Needham (*Shorter Science*), Park, Ludovici, Bernal. Pensamiento mágico y ciencia: Kittredge, Yates, Walker.

4. EL VIDRIO Y EL RENACIMIENTO

Existe abundante literatura sobre el Renacimiento. Enumeramos algunos autores que nos han resultado útiles. Información general: Burckhardt, Hale, Larner, Gottlieb, Fry, Clark, Hay. Arte: Panofsky, Gombrich, Baxandall, Wolfflin, Harbison, Hauser, Witkin, Arnheim, Miller, Friedlander, Baltrusaitis, Gell, Bazin, Kahr. Perspectiva: Damisch, White, Bunim, Wright, Ivins, Kemp, Edgerton. Psicología de la percepción: Blakemore, Gregory; autores de la época: Alberti, Leonardo da Vinci, Vasari. Individualismo y sus causas: Carrithers et al., Gurevich, Morris, Abercrombie et al., Macfarlane (*Origins*). Autobiografía e individualismo: Delany. La pintura y el espejo: Mumford. Actitud japonesa ante los espejos: Benedict (p. 202), Koestler (p. 173), Riesman y Riesman (p. 273). Espejos y sus misterios: Gregory.

5. EL VIDRIO Y LA CIENCIA MODERNA

Para más información sobre las primeras hipótesis sobre las relaciones entre el vidrio y la ciencia en que se inspiró este capítulo véase Mumford (*Técnica y civilización*); véanse también Singer et al. (vol. III), Derry y Williams. Microscopios: Ludovici, Mills. Barómetros: Knowles Middleton. Los veinte experimentos científicos: Harré.

6. EL VIDRIO EN ORIENTE

Producción islámica de vidrio: Battie y Cottle, Tait, Klein y Lloyd, Honey, Singer et al. (vol. III, p. 230). El mejor texto es el artículo de Oliver Watson, en Liefkes. Arquitectura islámica: Blair y Bloom, Talbot Rice, Bazin. Vidrio en India: Singh, Dikshit, Klein y Lloyd, Battie y Cottle, Liefkes. Vidrio en China: Phillips, Liefkes, Needham (*Shorter Science*, p. 4; «Optick Artists»), Klein y Lloyd, Tait, Battie y

Cottle, Temple, Elvin (pp. 83-84). Espejos: Baltrusaitis. Arquitectura en China: Williams (pp. 723-726); Fortune (pp. 79-90), Hommel. Pintura sobre vidrio: Jourdain y Soame Jenyns, Crossman (cap. 8). Vidrio en Japón: Blair, Klein y Lloyd. Testimonios europeos sobre el vidrio en Japón: Kaempfer (vol. III, p. 72), Thunberg (vol. IV, p. 59; vol. III, p. 279), Oliphant (p. 189), Screech (pp. 134-136), Alcock (p. 179).

7. CHOQUE DE CIVILIZACIONES

Introducción del vidrio en China: Liefkes, Battie y Cottle, Phillips. Comercio chino: Crossman, Osborne (cap. 8). Japón y la introducción del vidrio: Screech. Descripción del arte de China y Japón: Sullivan, Binyon, La Farge, Bowie, Clunas, Dyer Ball (entrada «Art»). Véase también Needham.

8. EL DILEMA DE LAS GAFAS

Consecuencias de las gafas: Mumford, Larner, Davies, Landes (*Wealth*). Véanse también Elvin (pp. 83-84), Needham («Optick Artists»). Miopía y vista: Trevor-Roper (varios), Grosvenor y Goss, Dobson, Tokoro, Goodrich, Chan, Mann y Pirie, Souter, Harman, Browning, Parsons y Duke-Elder, Price, Nielsen, Eden, Gregory, *Chambers Encyclopedia* (entradas «Eye Care», «Myopia» y «Vitamins»), *Encyclopedia Britannica* (entrada «Vision»), Weston. La historia de la oftalmología está documentada en Hirschberg. Casas y mobiliario en Japón: Morse. El título original inglés del capítulo («Spectacles and Predicaments») está sacado de un libro de sociología del fallecido Ernest Gellner.

9. VISIONES DEL MUNDO

Visión general de las teorías sobre el origen de la revolución científica: Shapin. Más información sobre estas teorías: Cohen. Sobre el Renacimiento sigue sin haber sido superado el libro de Burckhardt. Un estudio moderno: Hale. Aspectos teóricos sobre causas, metodología y orígenes del mundo moderno: Macfarlane (*Savage*, *Riddle* y *Making*). La distinción entre «industrioso» e «industrial» es de Akira Hayami, de la Universidad de Keio.

Bibliografía general

Abercrombie, Nicholas, Stephen Hill y Bryan S. Turner, *Sovereign Individuals of Capitalism*, Londres, Allen & Unwin, 1986. (Trad. española: *La tesis de la ideología dominante*, Madrid, Siglo XXI, 1987.)

Adams, Robert McC., *Paths of Fire: An Anthropologist's Inquiry into Western Technology*, Princeton, Princeton University Press, 1996.

Alberti, Leon Battista, *On Painting*, Londres, Penguin, 1991. (Trad. española: *De la pintura y otros escritos sobre arte*, Madrid, Tecnos, 1999.)

Alcock, sir Rutherford, *The Capital of the Tycoon: A Narrative of a Three Years' Residence in Japan*, Londres, Longman, 1863.

Allen, Denise, *Roman Glass in Britain*, Princes Risborough (Inglaterra), Shire Archaeology, 1998.

Andrews, William J.H., ed., *The Quest for Longitude*, Cambridge (Massachussets), Harvard University Press, 1996.

Anglicus, Bartholomaeus, *On the Properties of Things* [*De Proprietatibus Rerum*], 2 vols., Oxford, Clarendon Press, 1975. (Trad. española: *De proprietatibus rerum*, Valencia, Universidad de Valencia, 1996.)

Arnheim, Rudolf, *Art and Visual Perception, a Psychology of the Creative Eye*, Berkeley, University of California Press, 1957. (Trad. española: *Arte y percepción visual*, Madrid, Alianza, 2005, 2.ª ed.)

—, *Visual Thinking*, Londres, Faber & Faber, 1970. (Trad. española: *El pensamiento visual*, Barcelona, Paidós Ibérica, 1998.)

Ashdown, Charles, *History of the Worshipful Company of Glaziers of the City of London*, Londres, Blades, 1919.

Bacon, Francis, *The Advancement of Learning and New Atlantis*, Oxford, Oxford University Press, 1951. (Trads. españolas: *El avance del saber*, Madrid, Alianza, 1988; *Nueva Atlántida*, Madrid, Mondadori, 1988.)

Baltrusaitis, Jurgis, *Anamorphic Art*, Cambridge University Press, 1977.

Battie, David y Simon Cottle, eds., *Sotheby's Concise Encyclopedia of Glass*, Londres, Conran, 1997.

Baxandall, Michael, *Painting and Experience in Fifteenth-Century Italy*, Oxford, Oxford University Press, 1988, 2.ª ed. (Trad. española: *Pintura y vida cotidiana en el Renacimiento*, Barcelona, Gustavo Gili, 2000, 4.ª ed.)

Bazin, Germain, *A Concise History of Art: Parts 1 & 2*, Londres, Thames & Hudson, 1962. (Trad. española: *Historia del arte: de la prehistoria a nuestros días*, Barcelona, Omega, 1988, 7.ª ed.)

Benedict, Ruth, *The Chrysanthemum and the Sword: Patterns of Japanese Culture*, Londres, Routledge, 1967. (Trad. española: *El crisantemo y la espada*, Madrid, Alianza, 2005.)

Berenson, Bernard, *The Italian Painters of the Renaissance*, Londres, Fontana Library, 1960. (Trad. española: *Los pintores italianos del Renacimiento*, Barcelona, Garriga, 1954.)

Bernal, John Desmond, *Science in History*, Londres, Watts, 1957. (Trad. española: *Historia social de la ciencia*, vol. I: *La ciencia en la historia*, Barcelona, Edicions 62, 1989.)

Binyon, Lawrence, *The Flight of the Dragon, an Essay on the Theory and Practice of Art in China and Japan, Based on Original Sources*, Londres, John Murray, 1948.

—, *Painting in the Far East, an Introduction to the History of Pictorial Art in Asia Especially in China and Japan*, Mineola (Nueva York), Dover, 1969 (publicado originariamente en 1934).

Bird, Isabella, *Unbeaten Tracks in Japan*, Londres, Virago Press, 1984.

Biringuccio, Vannoccio, *The Pirotechnia of Vannoccio Biringuccio: The Classic Sixteenth-Century Treatise on Metals and Metallurgy*, Mineola (Nueva York), Dover, 1990.

Blair, Dorothy, «Glass», en *Encyclopedia of Japan*, vol. 3, Tokio, Kodansha International, 1983.

—, *A History of Glass in Japan*, Tokio, Kodansha International, 1973.

Blair, Sheila S. y Jonathan M. Bloom, *The Art and Architecture of Islam 1250-1800*, New Haven (Connecticut), Yale University Press, 1994. (Trad. española: *Arte y arquitectura del islam 1250-1800*, Madrid, Cátedra, 1999.)

Blakemore, Colin, *Mechanics of the Mind*, Cambridge, Cambridge University Press, 1977.

Bowerstock, G.W. et al., eds., *Late Antiquity. A Guide to the Postclassical World*, Cambridge (Massachusetts), Harvard University Press, 1999.

Bowie, Henry P., *On the Laws of Japanese Painting. An Introduction to the Study of the Art of Japan*, Mineola (Nueva York), Dover, 1952 (publicado originariamente en 1911).

Braudel, Fernand, *Civilisation and Capitalism 15th-18th Century*, 3 vols. (vol. I: *The Structures of Everyday Life*), Londres, Collins, 1981, 1983, 1984. (Trad. española: *Civilización material, economía y capitalismo: siglos XV a XVIII* [vol. I: *Las estructuras de lo cotidiano: lo posible y lo imposible*], Madrid, Alianza, 1984.)

Bray, Charles, *Dictionary of Glass: Materials and Techniques*, Londres, A. & C. Black, 1995.

Brock, William H., *The Fontana History of Chemistry*, Londres, Fontana, 1992. (Trad. española: *Historia de la química*, Madrid, Alianza, 1998.)

Browning, John, *Our Eyes, and How to Preserve Them From Infancy to Old Age, with Special Information about Spectacles*, Londres, Chatto & Windus, 1896.

Bunim, Miriam Schild, *Space in Medieval Painting and the Forerunners of Perspective*, Nueva York, AMS Press, 1970.

Burckhardt, Jacob, *The Civilisation of the Renaissance in Italy*, Londres, Phaidon Press, 1960. (Trad. española: *La cultura del Renacimiento en Italia*, Tres Cantos, Akal, 1992.)

Carrithers, Michael, Steven Collins y Steven Lukes, eds., *The Category of the Person, Anthropology, Philosophy, History*, Cambridge, Cambridge University Press, 1985.

Chambers Encyclopedia, Oxford, Nueva York, Pergamon Press, 1966, nueva edición revisada.

Chan, Eugene, «The General Development of Chinese Ophthalmology from its Beginnings to the 18th Century», *Documenta Ophthalmologica*, 68 (1988), pp. 177-184.

Clark, Kenneth, *Civilisation*, Londres, BBC, 1971. (Trad. española: *Civilización: una visión personal*, Madrid, Alianza, 2004.)

Clunas, Craig, *Pictures and Visuality in Early Modern China*, Londres, Reaktion, 1997.

Cohen, H. Floris, *The Scientific Revolution: A Historiographical Inquiry*, Chicago, University of Chicago Press, 1994.

Cranmer-Byng, J.L., ed., *An Embassy to China: Being the Journal Kept by Lord Macartney During his Embassy to the Emperor Ch'ien-lung 1793-4*, 1962.

Crombie, A.C., *Augustine to Galileo*, 2 vols., Londres, Mercury, 1964. (Trad. española: *Historia de la ciencia: de San Agustín a Galileo*, Madrid, Alianza, 1985.)

—, *Robert Grosseteste and the Origins of Experimental Science 1100-1700*, Oxford, Clarendon Press, 1953.

—, *Science, Art and Nature in Medieval and Modern Thought*, Londres, Hambledon Press, 1996.

—, *Science in the Middle Ages*, vol. I: *Medieval and Early Modern Science*, Londres, Doubleday, 1959.

—, *Science, Optics and Music in Medieval and Early Modern Thought*, Londres, Hambledon Press, 1990.

Crosby, Alfred, *The Measure of Reality, Quantification in Western Society 1250-1600*, Cambridge, Cambridge University Press, 1998. (Trad. española: *La medida de la realidad*, Barcelona, Crítica, 1988.)

Crossman, Carl L., *The Decorative Arts of the China Trade, Paintings, Furnishings and Exotic Curiosities*, Londres, Antique Collectors' Club, 1997.

Damisch, Hubert, *The Origin of Perspective*, Cambridge (Massachusetts), MIT Press, 2000. (Trad. española: *El origen de la perspectiva*, Madrid, Alianza, 1997.)

Dauman, Maurice, ed., *A History of Technology and Invention. Progress Through the Ages*, vol. II: *The First Stages of Mechanization 1450-1725*, Londres, John Murray, 1980.

Davies, Norman, *A History of Europe*, Oxford, Oxford University Press, 1996 (entrada «Murano»).

Delany, Paul, *British Autobiography in the Seventeenth Century*, Londres, Routledge & Kegan Paul, 1969.

Derry, T.K. y Trevor I. Williams, *A Short History of Technology, from Earliest Times to AD 1900*, Oxford, Clarendon Press, 1960. (Trad. española: *Historia de la tecnología*, Madrid, Siglo XXI, 2002, 5.ª ed.)

Dikshit, M.G., *History of Indian Glass*, Bombay, University of Bombay, 1969.

Dobson, Roger, «The Future is Blurred», *The Independent*, 20 de mayo de 1999.

Dopsch, Alfons, *The Economic and Social Foundations of European Civilisation*, Londres, RKP, 1953. (Trad. española: *Fundamentos económicos y sociales de la cultura europea*, Madrid, Fondo de Cultura Económica, 1982.)

Dyer Ball, J., *Things Chinese*, Singapur, Kelly and Walsh, 1925, 5.ª ed.

Eden, John, *The Eye Book*, Londres, Penguin, 1981.

Edgerton, Samuel Y., Jr., *The Renaissance Rediscovery of Linear Space*, Nueva York, Harper & Row, 1975.

Eisenstein, Elizabeth L., *The Printing Press as an Agent of Change: Communications and Cultural Transformations in Early-Modern Europe*, Cambridge, Cambridge University Press, 1980. (Trad. española: *La revolución de la imprenta en la edad moderna europea*, Tres Cantos, Akal, 1994.)

Elgin, *véase* Oliphant.

Elvin, Mark, *Another History, Essays on China from a European Perspective*, Sidney, Sidney University, 1996.

Encyclopedia Britannica, Sidney, Cambridge Press, 1910, 2.ª ed.

Encyclopedia of World Art, vol. VI, Nueva York, McGraw Hill, 1962.

Fortune, Robert, *Three Years' Wanderings in the Northern Provinces of China*, Londres, John Murray, 1847 (ed. facsímil: Alexandria [Virginia], Time-Life, 1982).

Friedlander, Max J., *From Van Eyck to Bruegel, Early Netherlandish Painting*, Londres, Phaidon, 1956.

Fry, Roger, *Vision and Design*, Londres, Penguin, 1940. (Trad. española: *Visión y diseño*, Barcelona, Paidós Ibérica, 1988.)

Gell, Alfred, *Art and Agency, An Anthropological Theory*, Oxford, Clarendon Press, 1998.

—, «The Technology of Enchantment and the Enchantment of Technology», en Jeremy Coote y Anthony Shotton, eds., *Anthropology, Arts and Aesthetics*, Oxford, Clarendon Press, 1992.

Godfrey, Eleanor S., *The Development of English Glassmaking 1560-1640*, Oxford, Clarendon Press, 1975.

Gombrich, E.H., *Art and Illusion: A Study in the Psychology of Pictorial Representation*, Boston, Phaidon Press, 1962. (Trad. española: *Arte e ilusión: estudios sobre la psicología de la representación simbólica*, Barcelona, Debate, 1998.)

—, *The Image and the Eye: Further Studies in the Psychology of Pictorial Representation*, Londres, Phaidon Press, 1999. (Trad. española: *La imagen y el ojo: nuevos estudios sobre la psicología de la representación pictórica*, Barcelona, Debate, 2000.)

—, *Meditations on a Hobby Horse, and Other Essays on the Theory of Art*, Londres, Phaidon, 1963. (Trad. española: *Meditaciones sobre un caballo de juguete*, Barcelona, Debate, 1999.)

—, *The Story of Art*, Londres, Phaidon Press, 1950. (Trad. española: *La historia del arte*, Barcelona, Destino, 1997.)

Goodrich, Janet, *Perfect Sight the Natural Way: How to Improve and Strengthen your Child's Eyesight*, Londres, Souvenir Press, 1996. (Trad. española: *Cómo mejorar la visión por medios naturales*, Villaviciosa Odón, Mirach, 1994.)

Gottlieb, Carla, *The Window in Art*, Nueva York, Abaris, 1981.

Gregory, R.L., *The Intelligent Eye*, Londres, World University, 1971.

Gregory, Richard, *Mirrors in Mind*, Oxford, W.H. Freeman, 1997.

Gregory, Richard, John Harris, Priscilla Heard y David Rose, eds., *The Artful Eye*, Oxford, Oxford University Press, 1995.

Grosvenor, T. y D.A. Goss, *Clinical Management of Myopia*, Boston, Butterworth-Heinemann, 1999.

Gurevich, Aaron, *The Origins of European Individualism*, Oxford, Blackwell, 1995. (Trad. española: *Los orígenes del individualismo europeo*, Barcelona, Crítica, 1997.)

Halde, Jean Baptiste du, *The General History of China*, Londres, J. Watts, 1736.

Hale, John, *The Civilisation of Europe in the Renaissance*, Londres, Harper-Collins, 1993. (Trad. española: *La civilización del Renacimiento en Europa*, Barcelona, Crítica, 1996.)

Harbison, Craig, *The Art of the Northern Renaissance*, Londres, Everyman Art, 1995.

Harman, N. Bishop, *The Eyes of our Children*, Londres, Methuen, 1916.

Harré, Rom, *Great Scientific Experiments: Twenty Experiments that Changed Our View of the World*, Oxford, Phaidon Press, 1983. (Trad. española: *Grandes experimentos científicos: veinte experimentos que han cambiado nuestra visión del mundo*, Barcelona, Labor, 1986.)

Hauser, Arnold, *The Social History of Art*, 3 vols., Nueva York, Vintage, 1957. (Trad. española: *Historia social de la literatura y el arte*, Barcelona, Debate, 2003.)

Hay, Denys, ed., *The Age of the Renaissance*, Londres, Guild, 1986. (Trad. española: *La época del Renacimiento*, Madrid, Alianza, 1988.)

Hayes, E. Barrington, *Glass through the Ages*, Londres, Penguin, 1959.

Henkes, H.E., «History of Ophthalmology», *Documenta Ophthalmologica*, 68 (1988), pp. 177-184.

Hirschberg, Julius, *History of Ophthalmology*, 7 vols., Londres, 1982-1986.

Hockney, David, *Secret Knowledge*, Londres, Thames & Hudson, 2001. (Trad. española: *El conocimiento secreto*, Barcelona, Destino, 2001.)

Hommel, Rudolf P., *China at Work: An Illustrated Record of the Primitive Industries of China's Masses, whose Life is Toil, and Thus an Account of Chinese Civilisation*, Cambridge (Massachusetts), MIT Press, 1969.

Honey, W.B., *English Glass*, Londres, Bracken, 1987.

—, *Glass: A Handbook for the Study of Glass Vessels of all Periods and Countries and a Guide to the Museum Collection*, Londres, Victoria and Albert Museum y Ministerio de Educación Británico, 1946.

Hooke, Robert, *Micrographia*, Londres, 1665. (Trad. española: *Micrografía*, Madrid, Alfaguara, 1989.)

Huff, Toby E., *The Rise of Early Modern Science, Islam, China, and the West*, Cambridge, Cambridge University Press, 1993.

Ihde, Aaron J., *The Development of Modern Chemistry*, Nueva York, Dover, 1984.

Ivins, William M., *Art and Geometry: A Study in Space Intuitions*, Mineola (Nueva York), Dover, 1964.

—, *On the Rationalization of Sight, with the Examination of Three Renaissance Texts on Perspective*, Nueva York, Da Capo Paperbacks, 1975.

Jackson, C.R.S., *The Eye in General Practice*, Londres, Churchill Livingstone, 1975, 7.ª ed.

James, Peter y Nick Thorpe, *Ancient Inventions*, Londres, Michael O'Mara, 1995.

Jourdain, Margaret y R. Soame Jenyns, *Chinese Export Art in the Eighteenth Century*, Nueva York, Scribner, 1950.

Kaempfer, Englebert, *The History of Japan, Together with a Description of the Kingdom of Siam 1690-1692*, 3 vols., Londres, 1906 (ed. facsímil: Richmond, Curzon Press, 1993).

Kahr, Madlyn Millner, *Velasquez. The Art of Painting*, Nueva York, Harper and Row, 1976.

Kemp, Martin, *The Science of Art, Optical Themes in Western Art from Brunelleschi to Seurat*, New Haven (Connecticut), Yale University Press, 1990. (Trad. española: *La ciencia del arte*, Tres Cantos, Akal, 2000.)

Kittredge, George Lyman, *Witchcraft in Old and New England*, Nueva York, Russell & Russell, 1956.

Klein, Dan y Ward Lloyd, eds., *The History of Glass*, Londres, Black Cat, 1992.

Knowles Middleton, W.E., *The History of the Barometer*, Londres, Baros, 1994.

Koestler, Arthur, *The Lotus and the Robot*, Londres, Hutchinson, 1960.

La Farge, John, *An Artist's Letters from Japan*, Londres, Hippocrene, 1986.

Landes, David S., *Revolution in Time. Clocks and the Making of the Modern World*, Cambridge (Massachusetts), Harvard University Press, 1983.

—, *The Wealth and Poverty of Nations, Why Some Are So Rich and Some So Poor*, Londres, Little, Brown & Co., 1998. (Trad. española: *La riqueza y la pobreza de las naciones*, Barcelona, Crítica, 2003.)

Larner, John, *Culture and Tradition in Italy 1290-1420*, Londres, Batsford, 1971.

«L'Art du Verre», en *L'Encyclopedie de Diderot et D'Alembert*, siglo XVIII (reimpresa en facsímil por Inter-Livres, sin fecha).

Leonardo da Vinci, *The Notebooks of Leonardo da Vinci*, 2 vols., Nueva York, Cape, 1938. (Trad. española: *Cuaderno de notas*, Madrid, M.E., 1993.)

—, *The Notebooks*, 2 vols., Londres, Reprint Society, 1954.

—*On Painting*, New Haven (Connecticut), Yale University Press, 1989. (Trads. españolas: *Tratado de pintura*, Madrid, Editora Nacional, 1980. / *Tratado de la pintura*, Buenos Aires, Losada, 1954, 3.ª ed.)

Liefkes, Reino, ed., *Glass*, Londres, Victoria & Albert Museum, 1997.

Lindberg, David C., *The Beginnings of Western Science. The European Scientific Tradition in Philosophical, Religious, and Institutional Context, 600 BC to AD 1450*, Chicago, University of Chicago Press, 1992. (Trad. española: *Los inicios de la ciencia occidental: la tradición científica europea en el contexto filosófico, religioso e institucional (desde el 600 a. C. hasta 1450)*, Barcelona, Paidós Ibérica, 2002.)

—, *Roger Bacon and the Origins of Perspectiva in the Middle Ages*, Oxford Clarendon Press, 1996.

—, *Roger Bacon's Philosophy of Nature. A Critical Edition*, Oxford, Clarendon Press, 1983.

—, *Theories of Vision from Al-Kindi to Kepler*, Chicago, University of Chicago Press, 1976.

—, ed., *John Pecham and the Science of Optics, Perspectiva communis*, Madison (Wisconsin), Wisconsin University Press, 1970.

Ludovici, L.J., *Seeing Near and Seeing Far*, Londres, John Baker, 1966.

Macfarlane, Alan, *The Making of the Modern World: Visions from West and East*, Londres, Palgrave, 2002.

—, *The Origins of English Individualism*, Oxford, Blackwell, 1978.

—, *The Riddle of the Modern World: Of Liberty, Wealth and Equality*, Londres, Macmillan, 2000.

—, *The Savage Wars of Peace, England, Japan and the Malthusian Trap*, Oxford, Blackwell, 1997.

Mann, Ida y Antoinette Pirie, *The Science of Seeing*, Londres, Penguin, 1946.

McGrath, Raymond y A.C. Frost, *Glass in Architecture and Decoration*, Londres, Architectural Press, 1961.

Miller, Jonathan, *On Reflection*, Londres, National Gallery, 1998.

Mills, A.A., «Single-Lens Magnifiers», partes I-VI, *Bulletin of the Scientific Instrument Society*, 54-59 (1997-1998).

Moore, N. Hudson, *Old Glass. European and American*, Nueva York, Tudor, 1935.

Morris, Colin, *The Discovery of the Individual 1050-1200*, Toronto, University of Toronto Press, 1995.

Morse, Edward S., *Japanese Homes and Their Surroundings*, Londres, 1886 (reedición: Mineola [Nueva York], Dover, 1961).

Mumford, Lewis, *The Myth of the Machine: The Pentagon of Power*, Nueva York, Harcourt Brace, 1970. (Trad. española: *El mito de la máquina*, Buenos Aires, Emecé, 1969.)

—, *Technics and Civilisation*, Londres, George Routledge, 1947. (Trad. española: *Técnica y civilización*, Madrid, Alianza, 1998.)

Needham, Joseph, «The Optick Artists of Chiangsu», en colaboración con Lu Gwei-Djen, en Jerome Ch'en y Nicholas Tarling, eds., *Studies in the Social History of China*, Cambridge, Cambridge University Press, 1970.

—, *The Shorter Science and Civilisation in China*, 4 vols., ed. abreviada por Colin A. Ronan, Cambridge, Cambridge University Press, 1980, 1995, 1994.

—, ed., *Science and Civilisation in China*, Cambridge, Cambridge University Press, vols. II, III, IV: 1-2, V: 2-3. (Trad. española: *Grandeza y miseria de la tradición científica china*, Barcelona, Anagrama, 1977.)

Nielsen, Harald, *Medicaments Used in the Treatment of Eye Diseases in Egypt, the Countries of the Near East, India and China in Antiquity*, Odense, Odense University Press, sin fecha.

Oliphant, Laurence, *Narrative of the Earl of Elgin's Mission to China and Japan in the Years 1857, '58, '59*, vol. II, Oxford, Blackwood, 1859.

Osborne, Harold, ed., *The Oxford Companion to the Decorative Arts*, Oxford, Oxford University Press, 1975.

Panofsky, Erwin, *Early Netherlandish Painting, its Origins and Character*, 2 vols., Nueva York, Icon, 1971. (Trad. española: *Los primitivos flamencos*, Madrid, Cátedra, 1998.)

—, *The Life and Art of Albrecht Dürer*, Princeton (Nueva Jersey), Princeton University Press, 1971. (Trad. española: *Vida y arte de Alberto Durero*, Madrid, Alianza, 2005.)

Park, David, *The Fire within the Eye, a Historical Essay on the Nature and Meaning of Light*, Princeton (Nueva Jersey), Princeton University Press, 1997.

Parsons, J.H. y S. Duke-Elder, *Diseases of the Eye*, Londres, Churchill, 1948, 11.ª ed.

Perkowitz, Sydney, *Empire of Light, a History of Discovery in Science and Art*, Washington, Joseph Henry Press, 1996.

Phillips, Phoebe, ed., *The Encyclopedia of Glass*, Londres, Spring, 1987.

Popper, Karl R., *Conjectures and Refutations: The Growth of Scientific Knowledge*, Londres, Routledge & Kegan Paul, 1978. (Trad. española: *Conjeturas y refutaciones: el desarrollo del conocimiento científico*, Barcelona, Paidós Ibérica, 1994.)

Priestley, *Experiments and Observations on Different Kinds of Air*, Londres, 1774.

Price, Weston A., *Nutrition and Physical Degeneration*, edición de autor, 1945.

Ramazzini, Bernardino, *A Treatise on the Diseases of Tradesmen*, Londres, A. Bell, 1705. (Trad. española: *Tratado de las enfermedades de los artesanos*, Madrid, Instituto Nacional de la Salud, 2000.)

Rasmussen, O.D., *Chinese Eyesight and Spectacles*, Tonbridge, Tonbridge Free Press, 1949. (Hay un ejemplar de este insólito opúsculo, revisado en 1950, en la biblioteca del Needham Centre, en Cambridge.)

—, *Old Chinese Spectacles*, Tientsin, North China Press, 1915, 2.ª ed. revisada. (Hay un ejemplar de este insólito opúsculo en la biblioteca del Needham Centre, en Cambridge.)

—, *A Thesis on the Cause of Myopia*. (Hay un ejemplar de este insólito opúsculo de 1949 en la biblioteca de la Universidad de Cambridge, signatura 9300.c.913.)

Riesman, David y Evelyn Thompson Riesman, *Conversations in Japan, Modernization, Politics and Culture*, Londres, Allen Lane, 1967.

Screech, Timon, *The Western Scientific Gaze and Popular Imagery in Later Edo Japan, The Lens Within the Heart*, Cambridge, Cambridge University Press, 1996.

Shapin, Steven, *The Scientific Revolution*, Chicago, University of Chicago Press, 1996. (Trad. española: *La revolución científica: una interpretación alternativa*, Barcelona, Paidós Ibérica, 2000.)

Singer, Charles, E.J. Holmyard, A.R. Hall y T.I. Williams, eds., *A History of Technology*, vols. II-V, Oxford, Clarendon Press, 1972.

Singh, Ravindra N., *Ancient Indian Glass: Archaeology and Technology*, Delhi, Parimal, 1989.

Souter, W.N., *The Refractive and Motor Mechanism of the Eye*, Filadelfia, Keystone, 1910.

Sullivan, Michael, *The Meeting of Eastern and Western Art*, Berkeley, University of California Press, 1989.

Tait, Hugh, *The Golden Age of Venetian Glass*, Londres, British Museum, 1997.

—, ed., *Five Thousand Years of Glass*, Londres, British Museum, 1991.

Talbot Rice, David, *Islamic Art*, Londres, Thames & Hudson, 1975. (Trad. española: *Arte islámico*, Barcelona, Destino, 2000.)

Temple, Robert, *The Genius of China, 3,000 Years of Science, Discovery and Invention*, introducción de Joseph Needham, Londres, Prion, 1991.

Theophilus, *On Divers Arts. The Foremost Medieval Treatise on Painting, Glassmaking and Metalwork*, Nueva York, Dover, 1979.

Thunberg, Carl Peter, *Travels in Europe, Africa and Asia Made between the Years 1770 and 1779*, 4 vols., Londres, F. and C. Rivinston, 1793-1796.

Tokoro, Takashi, «Vision Care in Japan», en *The Vision Care*, actas de la conferencia Yoya Vision Care, abril de 1998, pp. 47-52.

Trevor-Roper, Patrick D., *Lecture Notes on Ophthalmology*, Oxford, Blackwell Science, 1961.

—, «The treatment of myopia», *British Medical Journal*, 287 (17 de diciembre de 1983), pp. 1.822-1823.

—, *The World Through Blunted Sight: An Inquiry into the Influence of Defective Vision on Art and Character*, Londres, Allen Lane, 1988.

Vasari, Giorgio, *The Lives of the Artists*, Londres, Penguin, 1965. (Trad. española: *Vida de los más excelentes pintores, escultores y arquitectos*, Barcelona, Océano, 2000.)

Vose, Ruth Hurst, *Glass*, Londres, Collins Archaeology, 1980.

Walker, D.P., *Spiritual and Demonic Magic from Ficino to Campanella*, University Park, Pennsylvania State University Press, 2000.

Wecker, John, *Eighteen Books of the Secrets of Art and Nature*, Londres, S. Miller, 1660.

Weston, H.C., *Sight, Light and Work*, Londres, H.K. Lewis, 1962, 2.ª ed.

White, John, *The Birth and Rebirth of Pictorial Space*, Londres, Faber, 1957. (Trad. española: *Nacimiento y renacimiento del espacio pictórico*, Madrid, Alianza, 1994.)

Williams, S. Wells, *The Middle Kingdom: A Survey of the Geography, Government, Literature, Social Life, Arts and History of the Chinese Empire and its Inhabitants*, 2 vols., Londres, W.H. Allen, 1883.

Wilson, David, *The Anglo-Saxons*, Harmondsworth, Pelican, 1975.

Witkin, Robert W., *Art and Social Structure*, Cambridge, Polity Press, 1995.

Wolfflin, Heinrich, *Principles of Art History: The Problem of the Development of Style in Later Art*, Londres, G. Bell, 1932. (Trad. española: *Conceptos fundamentales de la historia del arte*, Barcelona, Óptima, 2002.)

Wright, Lawrence, *Perspective in Perspective*, Londres, Routledge & Kegan Paul, 1983. (Trad. española: *Tratado de perspectiva*, Barcelona, Stylos, 1985.)

Yates, Frances A., *Giordano Bruno and the Hermetic Tradition*, Londres, Routledge & Kegan Paul, 1964. (Trad. española: *Giordano Bruno y la Tradición Hermética*, Barcelona, Ariel, 1994.)

Yu, Li, *The Carnal Prayer Mat* (reimpresión: Londres, Wordsworth, 1995). (Trad. española: *La alfombrilla de los goces y los rezos*, Barcelona, Tusquets, 1992.)

Zerwick, Chloe, *A Short History of Glass*, Nueva York, Harry N. Abrams y The Corning Museum of Glass, 1990.

Índice general

© de esta edición: Editorial Océano, S.L., 2006
Milanesat, 21-23 • 08017 Barcelona
Tel.: 932 802 020 • Fax: 932 031 791
www.oceano.com

Diseño de cubiertas: Seli Galobart

ISBN-13: 978-84-494-2693-3
ISBN-10: 84-494-2693-6
DEPÓSITO LEGAL: B-38756-XLIX

Impreso en España/*Printed in Spain*